INTERMEZZO

Né à Bellac (Haute-Vienne) en 1882, Jean Giraudoux fait ses études à Châteauroux et Paris. Ancien élève de l'Ecole Normale Supérieure, diplômé d'allemand, il commence en 1910 une brillante carrière diplomatique.
Il débute en littérature avec Provinciales *(1909). Mais c'est* Siegfried et Le Limousin *(1922) et la pièce tirée du roman, montée en 1928 par Louis Jouvet qui le font connaître. Cet écrivain, qui compte parmi les plus représentatifs de l'époque, apporte dès lors au théâtre le sens de la légende et l'humour déjà sensibles dans* Elpénor *(1920),* Amphitryon 38 *(1929),* Intermezzo *(1933),* La Guerre de Troie n'aura pas lieu *(1935),* Electre *(1937),* Ondine *(1939), etc. On créera* La Folle de Chaillot *et* Pour Lucrèce *après sa mort survenue le 31 janvier 1944.*

La petite ville est en effervescence. Depuis quelque temps se produisent d'étranges phénomènes. On signale même la présence d'un spectre. La chasse au surnaturel, c'est la spécialité de l'inspecteur d'académie. Il arrive tout exprès de Limoges pour se joindre au maire, au droguiste et au contrôleur des Poids & Mesures afin de rétablir l'ordre. Ils ont rendez-vous à l'écart du bourg, dans le pré hanté, où les rejoignent les sœurs Mangebois. Selon elles, la responsable des événements est l'institutrice. Oui, la charmante Isabelle croit au spectre et cherche à l'aider. Elle vient d'ailleurs le retrouver tous les soirs.
L'inspecteur tend un piège à l'invisible qui s'en moque, ayant plus d'un tour dans son sac. Il faudra l'habileté du droguiste et l'amour du contrôleur pour sauver Isabelle, museler la malice des choses et terminer cet « intermède » où étincellent l'esprit et la grâce du magicien Giraudoux.

ŒUVRES DE JEAN GIRAUDOUX

PROVINCIALES.
L'ÉCOLE DES INDIFFÉRENTS.
SIMON LE PATHÉTIQUE, roman.
SIEGFRIED ET LE LIMOUSIN, roman.
BELLA, roman.
ÉGLANTINE, roman.
COMBAT AVEC L'ANGE, roman.
LA FRANCE SENTIMENTALE.
SUZANNE ET LE PACIFIQUE, roman.
JULIETTE AU PAYS DES HOMMES.
LECTURE POUR UNE OMBRE.
AMICA AMERICA.
ADORABLE CLIO.
ELPÉNOR.
AVENTURES DE JÉRÔME BARDINI, roman.
TEXTES CHOISIS, réunis et présentés par René Lalou.
LES CINQ TENTATIONS DE LA FONTAINE.
CHOIX DES ÉLUES, roman.
LITTÉRATURE.
VISITATIONS.
LA MENTEUSE.

Théâtre :

LA GUERRE DE TROIE N'AURA PAS LIEU, pièce en 2 actes.
ELECTRE, pièce en 2 actes.
SIEGFRIED, pièce en 4 actes.
AMPHITRYON 38, pièce en 3 actes.
INTERMEZZO, pièce en 3 actes.
FIN DE SIEGFRIED, pièce en 1 acte.
JUDITH, pièce en 3 actes.
SUPPLÉMENT AU VOYAGE DE COOK, pièce en 1 acte.
TESSA, pièce en 3 actes et 6 tableaux,
adaptation de *La Nymphe au cœur fidèle.*
L'IMPROMPTU DE PARIS, pièce en 1 acte.
ONDINE, pièce en 3 actes.
SODOME ET GOMORRHE, pièce en 2 actes.
LA FOLLE DE CHAILLOT, pièce en 2 actes.
L'APOLLON DE BELLAC, pièce en 1 acte.
POUR LUCRÈCE, pièce en 3 actes.
FIN DE SIEGRIED, acte inédit.
CANTIQUE DES CANTIQUES, pièce en 1 acte.

Cinéma :

Le film LA DUCHESSE DE LANGEAIS.
Le film BÉTHANIE.

Dans Le Livre de Poche :

ELECTRE. BELLA. ONDINE. LA MENTEUSE.
AVENTURES DE JÉRÔME BARDINI.
JULIETTE AU PAYS DES HOMMES.
LA GUERRE DE TROIE N'AURA PAS LIEU.
SIEGFRIED ET LE LIMOUSIN.
PROVINCIALES. LA FOLLE DE CHAILLOT.
AMPHITRYON 38.
L'APOLLON DE BELLAC.

JEAN GIRAUDOUX

Intermezzo

COMÉDIE EN TROIS ACTES

BERNARD GRASSET

PERSONNAGES

Cette comédie a été jouée pour la première fois le lundi 27 février 1933 au Théâtre Louis Jouvet, (Comédie des Champs-Elysées), avec la distribution suivante :

Isabelle .... Mlles Valentine Tessier
Armande Mangebois ...... Christiane Laurey
Léonide Mangebois ...... Raymone

Le Contrôleur .... MM. Louis Jouvet
L'Inspecteur .... Félix Oudart
Le Maire .... Romain Bouquet
Le Droguiste .... Robert Le Vigan
Cambronne .... Alexandre Rignault
Crapuce .... André Moreau

Le Spectre .... M. Pierre Renoir

Les Petites Filles :

Luce .... Odette Joyeux
Gisèle .... Sonia Bessis
Daisy .... Jeannine Joly
Gilberte .... Annie Rasamat
Irène .... Gisèle Vanel
Nicole .... Fernande David
Marie-Louise .... Jeannine Camp
Viola .... Monique Povel

La musique est de Francis Poulenc

ACTE PREMIER

La campagne. Une belle prairie. Des bosquets.
Vers le soir.

SCÈNE PREMIÈRE

LE MAIRE, puis le DROGUISTE.

LE MAIRE, entrant seul et criant.

Oh! Oh!... Evidemment, l'endroit est étrange. Personne ne répond, pas même l'écho... Oh! Oh!

LE DROGUISTE, entrant derrière lui.

Oh! Oh!

LE MAIRE

Vous m'avez fait peur, mon cher Droguiste.

LE DROGUISTE

Pardon, monsieur le Maire, vous avez cru que c'était lui?

LE MAIRE

Ne plaisantez pas! Je sais bien qu'il n'existe peut-être pas, que tous ceux qui prétendent l'avoir rencontré dans ces parages sont peut-être victimes d'une hallucination. Mais convenez que ce lieu est singulier!

LE DROGUISTE

Pourquoi l'avez-vous choisi pour notre rendez-vous?

LE MAIRE

Pour la raison qui sans doute le lui fait choisir. Pour être hors de vue des curieux. Vous ne vous y sentez pas mal à l'aise?

LE DROGUISTE

Pas le moins du monde. Tout y est vert et calme. On se croirait sur un terrain de golf.

LE MAIRE

On n'en rencontre jamais, sur les terrains de golf?

LE DROGUISTE

Peut-être en rencontrera-t-on plus tard, quand se sera accumulé sous les allées et venues des joueurs de golf mâles et femelles cet humus de mots banals et de vrais aveux, de bouts de cigares et de houppettes, de rivalités et de sympathies nécessaire pour humaniser un sol encore primitif. Pour le moment, ces beaux terrains bien dessinés, exhaussés, surveillés, sont certainement les moins maléfiques!... D'autant plus qu'on les plante en gazon anglais, c'est-à-dire avec la graminée la moins chargée en mystère... Ni jusquiame, ni centaurée, ni vertadine... Il est vrai qu'ici vous avez ces plantes, à ce que je vois, et même la mandragore.

LE MAIRE

C'est vrai ce qu'on raconte de la mandragore?

LE DROGUISTE

Au sujet de la constipation?

LE MAIRE

Non, au sujet de l'immortalité... Que les enfants conçus au-dessus d'une mandragore par un pendu deviennent des êtres démoniaques, et vivent sans terme?

LE DROGUISTE

Tous les symboles ont leur raison. Il suffit de les interpréter.

LE MAIRE

Peut-être avons-nous affaire avec un symbole de cet ordre.

LE DROGUISTE

Comment apparaît-il en général : malingre, difforme?

LE MAIRE

Non. Grand, avec un beau visage.

LE DROGUISTE

Il y a eu des pendus, autrefois, dans le canton?

LE MAIRE

Depuis que je suis Maire, j'ai eu en tout deux suicides. Mon vigneron, qui s'est fait sauter dans son canon pare à grêle, et la vieille épicière, qui s'est pendue, mais par les pieds.

LE DROGUISTE

Il faut un pendu homme de vingt à quarante ans... Mais je commence à croire que ces messieurs se sont égarés. L'heure de la réunion passe.

LE MAIRE

Rien à craindre. J'ai prié le Contrôleur des Poids et Mesures de guider l'Inspecteur. Ainsi nous serons quatre pour former la commission chargée d'enquêter sur l'affaire.

LE DROGUISTE

Une commission de trois membres aurait largement suffi!

LE MAIRE

Notre jeune Contrôleur est pourtant bien sympathique.

LE DROGUISTE

Très sympathique.

LE MAIRE

Et courageux! A notre dîner du mercredi, où les propos avant lui frisaient l'indécence, il ne laisse passer aucune occasion de défendre la vertu des femmes. En deux phrases, hier, il nous a réhabilité définitivement Catherine II, malgré l'agent voyer, fortement prévenu contre elle.

LE DROGUISTE

Je parlais de l'Inspecteur. Pourquoi l'avoir convoqué de Limoges? Il passe pour brutal, les esprits n'aiment pas les butors.

LE MAIRE

C'est qu'il est venu de lui-même. C'est qu'il entend se déranger lui-même pour combattre tout ce qui surgit d'anormal ou de mystérieux dans le département. Dès qu'un phénomène inexplicable se manifeste dans la faune, la flore, la géographie même de la région, l'Inspecteur survient et ramène l'ordre. Vous connaissez ses derniers exploits?

LE DROGUISTE

En Berry, avec ses prétendues ondines?

LE MAIRE

Dans le Limousin même! A Rochechouart d'abord, où il a fait murer par le génie militaire la source qui appelait. Et au haras de Pompadour, où les étalons s'étaient mis à user de leurs yeux comme des humains, à se regarder de biais entre eux, à se faire signe de leurs prunelles ou de leurs paupières, il leur a imposé des œillères, même dans les stalles. Vous pensez si l'état de notre ville a dû l'allécher... Je m'étonne seulement qu'il tarde ainsi.

LE DROGUISTE

Appelons-le!

LE MAIRE

Non! Non! Ne criez point! Ne trouvez-vous pas que l'acoustique de ce pré a je ne sais quoi de trouble, d'inquiétant?

LE DROGUISTE

Le Contrôleur a la plus belle voix de basse de la région. Nous l'entendrons d'un kilomètre... Oh! Oh!...

SCÈNE DEUXIÈME

LES MÊMES. ISABELLE. LES ÉLÈVES.

On entend des voix aiguës de fillettes répondre : Oh! Oh! et aussitôt, Isabelle et ses élèves entrent sur la scène

LE MAIRE

Ah! c'est mademoiselle Isabelle! Bonjour, mademoiselle Isabelle!

ISABELLE

Bonjour, monsieur le Maire!

LE DROGUISTE

Vous herborisez, mes enfants?

LE MAIRE

Depuis trois mois que notre institutrice est malade, Mlle Isabelle veut bien la remplacer. Elle tient seulement à faire sa classe en plein air, par ce beau temps.

ISABELLE

D'ailleurs, nous herborisons aussi, monsieur le Droguiste. Il faut que ces petites connaissent la nature par tous ses noms et prénoms. J'ai là un sac plein déjà de plantes curieuses... Excusez-nous, mais nous cherchons la plus indispensable à mon cours de tout à l'heure... Je sais où la trouver...

LE DROGUISTE

Laquelle?

LES FILLETTES

La mandragore! La mandragore!

Elles sortent.

SCÈNE TROISIÈME

LE MAIRE. LE DROGUISTE.

LE DROGUISTE

La charmante personne! Comme il est touchant de voir l'innocence tourner ainsi sans soupçon et sans péril autour des symboles du mal!

LE MAIRE

Je voudrais bien que les demoiselles Mangebois eussent sur elle la même opinion.

LE DROGUISTE

Qu'ont à voir ces deux taupes avec Isabelle?

LE MAIRE

C'est ce que nous allons savoir tout à l'heure. Elles ont demandé à être entendues de l'Inspecteur; elles m'ont laissé supposer qu'il s'agissait d'Isabelle, et d'une dénonciation.

LE DROGUISTE

Que peuvent-elles bien dénoncer? Isabelle est si simple, si nette, si différente en somme de ses compagnes! Car vous les connaissez, monsieur le Maire, toutes les autres. Elles passent leur après-midi à se perdre dans les bois aux bras de leurs cousins, à se baigner avec l'employé nègre de la sous-préfecture, à lire, étendues dans les prairies, le marquis de Sade illustré... Des jeunes filles, quoi!... Isabelle, au contraire, n'a pas de vague à l'âme, pas de curiosité anticipée... Regardez la franchise de cette silhouette! Près de chaque être, de chaque objet, elle semble la clef destinée à le rendre compréhensible. Voyez-la à cheval sur ce baliveau, faisant valser cet ânon, en agitant un chardon, pendant que ses élèves dansent une ronde autour d'eux, la nécessité des ânons dans ce bas monde devient fulgurante... Celle des petites filles aussi, d'ailleurs... Regardez-les, monsieur le Maire : les charmantes petites figures, les charmants petits dos...

LE MAIRE

Eh bien, eh bien, mon cher Droguiste!

LE DROGUISTE

Ah! Voici M. l'Inspecteur!

SCÈNE QUATRIÈME

LES MÊMES. L'INSPECTEUR. LE CONTRÔLEUR.

L'INSPECTEUR

La preuve, mon cher Contrôleur? La preuve que les esprits n'existent pas, que le monde invisible n'existe pas? Voulez-vous que je vous l'administre à la minute, sur-le-champ?

LE CONTRÔLEUR

Venant d'un haut fonctionnaire, elle me sera précieuse.

L'INSPECTEUR

Vous admettez que si les esprits existent, ils m'entendent?

LE CONTRÔLEUR

A part les esprits sourds, sans aucun doute.

L'INSPECTEUR

Qu'ils entendent donc ceci : Esprits, formes de vide et de blanc d'œuf (vous voyez, je ne mâche pas mes mots, s'ils ont un peu de dignité, ils savent ce qui leur reste à faire), l'humanité en ma personne vous défie d'apparaître! Vous avez là une occasion unique, étant donné la qualité de l'assistance, de reprendre un peu de crédit dans l'arrondissement. Je ne vous demande pas d'extirper de ma poche une perruche vivante, opération classique, paraît-il, chez les esprits. Je vous défie d'obtenir qu'un vulgaire passereau s'envole de cet arbre, de ce bosquet, de cette forêt, quand j'aurai compté trois... Je compte, monsieur le Contrôleur : Une... Deux... Trois... Voyez, c'est lamentable. (*Son chapeau s'envole.*) Dieu, quel vent!

LE DROGUISTE

Nous ne sentons pas le moindre souffle, monsieur l'Inspecteur.

L'INSPECTEUR

Il suffit. C'est piteux.

LE CONTRÔLEUR

Peut-être que les esprits ne croient pas aux hommes.

LE MAIRE

Ou que l'invocation avait un caractère un peu général.

L'INSPECTEUR

Vous voulez que je les appelle chacun par leur nom? Vous voulez que j'appelle Asphlaroth?

LE DROGUISTE

Asphlaroth, le plus susceptible et le plus cruel des esprits, qu'on dit se loger dans l'organisme humain et se plaire à le torturer? Prenez garde, monsieur l'Inspecteur! On ne sait jamais où mènent ces jeux.

L'INSPECTEUR

Tu m'entends, Asphlaroth, mes organes les plus vils et les plus ridicules te défient aujourd'hui. Non pas mes poumons, mon cœur, mais ma vésicule biliaire, ma glotte, ma membrane sternutatoire... Frappe l'un d'eux de la moindre douleur, de la moindre contraction, et je crois en toi... Une... Deux... Trois... J'attends... (*Il glisse.*) Que c'est humide, ici!

LE MAIRE

Il n'a pas plu depuis trois semaines.

LE DROGUISTE

Les esprits ont une autre notion du temps que nous. Peut-être Asphlaroth a-t-il répondu à vos insultes longtemps à l'avance... Puis-je vous demander d'où proviennent ces cicatrices à votre nez?

L'INSPECTEUR

Une tuile m'est tombée sur la tête, quand je marchais à peine.

LE DROGUISTE

Voilà l'explication de son silence. Il vous a répondu voilà quarante ans.

L'INSPECTEUR

Je n'attendais pas moins de lui : il n'existe pas, et il est lâche, et il s'attaque à des enfants... Messieurs, la preuve est faite, irréfutablement... Je me permettrai donc de sourire quand vous me dites que votre bourg est hanté.

LE MAIRE

Il est hanté, monsieur l'Inspecteur...

L'INSPECTEUR

Je sais ce qu'est en réalité un bourg hanté. Les batteries de cuisine qui résonnent la nuit dans les appartements dont on veut écarter le locataire, des apparitions dans les propriétés indivises pour dégoûter l'une des parties. De là les commères au travail. De là la suspicion et l'agitation poussées à la calomnie et jusqu'au crime. Vous aviez à élire un conseiller général. Il en est résulté des rixes autour des urnes, évidemment, des rixes sanglantes. Ma foi, tant pis : l'urne, même électorale, appelle le cadavre.

LE MAIRE

Pas du tout, monsieur l'Inspecteur, au contraire!

L'INSPECTEUR

On a voté sans répandre le sang? C'est à peine démocratique, et pas du tout démoniaque.

LE MAIRE

On n'a pas voté. Personne n'a voté, ni songé à voter. Les électeurs s'étaient pourtant levés à l'aube, conscients de leur devoir, et précipités vers les affiches. Mais le soleil étincelait; tous prétendent avoir lu sur les panneaux : au soleil, pas d'abstentions! et ils sont allés se promener jusqu'au soir.

L'INSPECTEUR

Ils ont été soudoyés par la réaction.

LE DROGUISTE

D'accord avec le soleil.

LE CONTRÔLEUR

Certainement pas, monsieur l'Inspecteur. M. le Maire ne vous dit pas que depuis plusieurs semaines c'est à une série d'opérations aussi étranges que la ville se consacre. Une influence inconnue, et dont, pour ma part, je trouve les effets assez sympathiques, y sape peu à peu tous les principes, faux d'ailleurs, sur lesquels se base la société civilisée.

L'INSPECTEUR

Je vous dispense de vos commentaires personnels. Expliquez-vous.

LE CONTRÔLEUR

Je m'explique. Les enfants que leurs parents battent, par exemple, quittent leurs parents. Les chiens que leurs maîtres rudoient mordent la main de leurs maîtres. Les femmes qui ont un vieux mari ivrogne, laid et poilu, l'abandonnent simplement pour quelque jeune amant sobre et à peau lisse. Les hercules que des gringalets insultaient impunément n'hésitent plus à leur fracasser la mâchoire. Bref, la faiblesse n'est plus ici une force, ni l'affection une habitude.

L'INSPECTEUR

Et vous me prévenez si tard d'un pareil état de choses?

LE MAIRE

J'ajoute que plusieurs coïncidences étranges témoignent de l'intrusion, dans notre vie municipale, de puissances occultes. Nous avons tiré l'autre dimanche notre loterie mensuelle, c'est le plus pauvre qui a gagné le gros lot en argent, et non le gagnant habituel, M. Dumas, le millionnaire, qui d'ailleurs a fort bien tenu le coup; c'est notre jeune champion qui a gagné la motocyclette et non la supérieure des bonnes sœurs à laquelle elle échéait régulièrement. Cette semaine, nous avons eu deux décès : les deux habitants les plus âgés, qui, par-dessus le compte, étaient le plus avare et la plus acariâtre. Pour la première fois, le sort nous débarrasse, le hasard frappe à coup sûr.

L'INSPECTEUR

C'est la négation de la liberté humaine!

LE DROGUISTE

Vous pourriez peut-être parler du recensement, monsieur le Maire.

L'INSPECTEUR

Quel recensement?

LE MAIRE

Le recensement quinquennal officiel. Je n'ai pas osé transmettre encore les feuilles à la Préfecture.

L'INSPECTEUR

Vos administrés ont écrit des déclarations mensongères?

LE MAIRE

Au contraire, tous ont répondu avec une vérité si outrée et si cynique qu'elle est un défi à l'administration. Au chapitre de la famille, pour vous en donner un exemple, la plupart n'ont pas indiqué comme leurs enfants leurs vrais fils ou filles, quand ceux-là étaient ingrats ou laids, mais leurs chiens, leurs apprentis, leurs oiseaux, bref, ceux qu'ils aimaient vraiment comme leurs rejetons.

LE CONTRÔLEUR

Plusieurs ont noté pour épouse non pas leur épouse réelle, mais la femme inconnue dont ils ont rêvé, ou la voisine avec laquelle ils sont en rapports secrets, ou même l'animal femelle qui représente pour eux la compagne parfaite, la chatte ou l'écureuil.

LE MAIRE

Au chapitre des appartements, les riches neurasthéniques ont prétendu habiter des masures, les pauvres heureux des palais.

L'INSPECTEUR

Et depuis quand, tous ces scandales?

LE MAIRE

A peu près depuis que l'on rencontre ce fantôme.

L'INSPECTEUR

N'employez pas ce mot stupide. Il n'y a pas de fantôme.

LE MAIRE

De ce spectre, si vous voulez.

L'INSPECTEUR

Il n'y a pas de spectre!

LE DROGUISTE

Ce n'est pas ce que nous apprend la science. Il y a des spectres de tout, du métal, de l'eau. Il peut s'en trouver un des hommes.

On entend, à la cantonade, les voix des demoiselles Mangebois.

SCÈNE CINQUIÈME

LES MÊMES.
LES DEMOISELLES MANGEBOIS.

L'aînée des demoiselles Mangebois est sourde. Elle porte en sautoir un récepteur par lequel sa sœur la tient au courant de la conversation.

ARMANDE MANGEBOIS, criant, encore invisible.

Nous pouvons approcher, monsieur le Maire?

LE MAIRE

Approchez, mesdemoiselles, approchez! Monsieur l'Inspecteur, voici justement ces demoiselles Mangebois qui nous ont promis des révélations.

ARMANDE, apparaissant avec sa sœur.

J'espère, monsieur le Maire, que nous ne vous décevrons pas.

LE MAIRE

Mlles Mangebois sont les filles de notre défunt juge de paix, célèbre pour avoir fait trancher la membrane de deux sœurs siamoises que deux forains de Limoges se disputaient.

Les demoiselles Mangebois s'asseyent sur des pliants, après l'échange des saluts.

L'INSPECTEUR

Mes félicitations, mesdemoiselles. Le vrai jugement de Salomon! Je vous écoute.

ARMANDE

Je tiens à vous demander d'abord, monsieur l'Inspecteur, d'excuser ma sœur Léonide. Elle est un peu dure d'oreille.

LÉONIDE

Que dis-tu?

ARMANDE

Je dis à M. l'Inspecteur que tu es un peu dure d'oreille.

LÉONIDE

Pourquoi me le dis-tu à moi? Je le sais.

ARMANDE

Voyons, Léonide, tu exiges que je te répète tout ce que je dis?

LÉONIDE

Excepté que tu dis que je suis sourde.

L'INSPECTEUR

Mesdemoiselles, si nous vous avons priées de venir jusqu'en ces lieux, choisis à cause de leur discrétion...

LÉONIDE

Tu ronfles, toi. Est-ce que je le dis?

ARMANDE

Je ne ronfle pas.

LÉONIDE

Si tu ne ronfles pas, c'est que tu as subitement cessé de ronfler à la minute ou je devenais sourde...

L'INSPECTEUR

Priez votre sœur de se taire, mademoiselle, ou nous n'en sortirons jamais.

ARMANDE

Cela m'est difficile, monsieur l'Inspecteur; elle est mon aînée.

LÉONIDE

Que dis-tu?

ARMANDE

Rien qui t'intéresse.

LÉONIDE

Si cela ne m'intéresse pas, c'est que tu es en train de dire que tu es la cadette.

ARMANDE

Monsieur l'Inspecteur te fait dire qu'il souhaite le silence.

LÉONIDE

S'il savait ce que c'est, le silence, il ne le souhaiterait pas. Je me tais.

L'INSPECTEUR

Mesdemoiselles, on m'assure que vous êtes au courant de tout ce qui se dit et se passe dans l'arrondissement?

ARMANDE

Nous sommes en effet secrétaires de l'œuvre des Trousseaux.

L'INSPECTEUR

Et de quoi est-il question, en ce moment, à l'œuvre des Trousseaux?

ARMANDE

De quoi parlerait-on, monsieur l'Inspecteur, du spectre!

L'INSPECTEUR

Vous y croyez, à ce spectre? Vous l'avez vu?

ARMANDE

J'ai vu des gens qui l'ont vu.

L'INSPECTEUR

Des témoins dignes de foi?

ARMANDE

L'un d'eux est commandeur du Grand Dragon de l'Annam.

L'INSPECTEUR

S'il croit au Grand Dragon de l'Annam, il est déjà suspect. Nommez-les.

ARMANDE

Notre laitier, la belle Fatma — ces messieurs appellent ainsi l'épicière —, et le commandant Lescalard. C'est le commandant qui est commandeur.

L'INSPECTEUR

Je l'aurais parié... Et comment ont-ils vu le spectre? Recouvert d'un suaire, évidemment, la tête faite d'une citrouille vidée et ajourée où l'on installe une lampe électrique?

ARMANDE

Pas du tout, monsieur l'Inspecteur. Tous les témoignages concordent. C'est un grand jeune homme vêtu de noir. Il apparaît à la tombée de la nuit, et toujours aux environs de l'étang dont vous voyez là-bas les roseaux.

L'INSPECTEUR

Et comment expliquez-vous ces apparitions? Y a-t-il eu déjà des revenants dans la région?

ARMANDE

Jamais. Jamais avant le crime.

L'INSPECTEUR

Quel crime?

LE CONTRÔLEUR

Un crime superbe, monsieur l'Inspecteur, je dirai même mondain. Un jeune étranger et sa femme avaient loué le château à Pâques. Un ami est venu les rejoindre. Au matin, on a retrouvé la femme et l'ami tués, sauvagement tués et, sur le bord de l'étang, le chapeau du mari. Ce salut à la mort a grande allure. On suppose qu'il s'est noyé.

ARMANDE

A l'Œuvre, nous sommes toutes d'avis que c'est ce noyé qui revient. D'ailleurs, il est nu-tête.

L'INSPECTEUR

Il peut revenir sans s'être noyé. Le criminel revient toujours au lieu de son crime, comme le boomerang aux pieds de son maître.

LÉONIDE

Que dit l'Inspecteur?

ARMANDE

Que le boomerang revient aux pieds de son maître.

LÉONIDE

Très intéressant. Quand vous en serez au fusil à canon coudé, tu voudras bien me prévenir.

L'INSPECTEUR

Et vous croyez que les événements insolites dont votre ville est le théâtre se rapportent à ce spectre?

ARMANDE

Oh! non. Cela, c'est une autre histoire. Mais à notre avis, les deux histoires ne vont pas tarder à se rejoindre. C'est ce danger qui nous décide à parler.

LE MAIRE

Soyez claire, mademoiselle Mangebois.

ARMANDE

Monsieur l'Inspecteur, je ne sais si ces messieurs vous ont dépeint dans son horreur tout le scandale.

L'INSPECTEUR

Oui, oui, mademoiselle, abrégez. Je sais que dans votre ville toute la morale bourgeoise est en ce moment cul par-dessus tête.

LÉONIDE

Que dit l'Inspecteur?

ARMANDE

Rien de particulier.

LÉONIDE

J'exige que tu me répètes les trois derniers mots, comme d'habitude.

ARMANDE

A tes ordres... Tu m'ennuies... Cul par-dessus tête.

LÉONIDE

Ah! vous parlez de Mme Lambert!

ARMANDE

Nous ne parlons pas de Mme Lambert...

LÉONIDE

Ce ne peut être que de Mme Lambert ou de la receveuse.

L'INSPECTEUR

Quelle est cette Mme Lambert?

ARMANDE

La femme de l'horloger... et de quelques autres...

LE CONTRÔLEUR

Comment?

ARMANDE

Et de quelques autres.

LE CONTRÔLEUR, soudain passionné.

Pardon! Je ne souffrirai pas que l'on suspecte la conduite de Mme Lambert!

L'INSPECTEUR

Monsieur le Contrôleur, notre enquête est suffisamment ardue. Il n'est pas ici question de Mme Lambert.

LE CONTRÔLEUR

Eh bien, tant pis, il en sera question. Vous ne vous étonnez pas, à Paris, aux terrasses des cafés ou dans les salons littéraires de voir soudain un poète se lever et faire sans raison l'éloge du printemps. Mme Lambert est le printemps de notre ville.

ARMANDE

Ce jeune homme est fou!

LE MAIRE

Monsieur le Contrôleur!

LE CONTRÔLEUR

Que nous frôlions Mme Lambert debout au pas de son magasin en feignant de prendre l'heure à cent cadrans qui se contredisent, ou que nous l'apercevions à travers sa vitrine, occupée, ses jolies dents dans l'effort mordillant sa langue, à boucler un bracelet-montre au poignet d'une communiante ou à faire sauter de son ongle rosé le boîtier d'un militaire, il nous faut bien convenir que la spécialité la plus émouvante de la France ce ne sont ni ses cathédrales, ni ses hôtelleries, mais cette jeune femme dont le corsage tendrement moulé de satin ou d'organdi aimante dans chaque petite ville aux diverses heures du jour l'itinéraire du sous-préfet, des lycéens et de toute la garnison!

LÉONIDE

Que dit le Contrôleur?

ARMANDE

Absolument rien!

LE CONTRÔLEUR

Bref, cette beauté de province à laquelle rien ne m'empêchera en cette minute de rendre hommage en la personne de Mme Lambert, et sous tous les noms et formes qu'a revêtus Mme Lambert au cours de ma carrière pourtant encore si courte, quand elle s'appelait Mme Merle et était libraire à Rodez, Mme Lespinard, la bandagiste de Moulins, ou Mme Tribourty, la gantière de Castres... Ces gants d'agneau viennent de chez elle... Pas une déchirure... Je me porte garant de Mme Lambert.

L'INSPECTEUR

Messieurs, je lève la séance. Nous n'arriverons à rien avec une telle gabegie. Vous avez un blâme, Contrôleur.

ARMANDE

Et Mlle Isabelle, monsieur le Contrôleur, vous vous portez garant aussi de Mlle Isabelle?

LE DROGUISTE

Vous n'allez pas mêler Mlle Isabelle à ces scandales?

LE CONTRÔLEUR

Elle est la pureté et l'honneur mêmes.

LE MAIRE

Et je me félicite de lui avoir confié, en l'absence de la titulaire, la classe des fillettes.

ARMANDE

Que les hommes sont aveugles! Mlle Isabelle est là dans ce champ. Vous avez une nièce dans sa classe, monsieur le Maire. Appelez-la... Vous verrez ce qu'on lui apprend à la petite Daisy!

LE MAIRE

Que lui apprend-on?

ARMANDE

Profitez de la présence de M. l'Inspecteur pour lui faire passer un examen, et vous le verrez.

L'INSPECTEUR

Mais encore?

ARMANDE

Nous soupçonnions depuis longtemps Isabelle d'être pour quelque chose dans les machinations qui corrompent notre ville. Depuis ce matin, nous en avons la certitude.

LE CONTRÔLEUR

Calomnie!

ARMANDE

Léonide, dis à ces messieurs pourquoi nous sommes sûres qu'Isabelle est la coupable.

LÉONIDE

Parce que l'agenda où elle écrit chaque soir le récit de sa journée nous en a fait l'aveu.

L'INSPECTEUR

Comment est-il venu en votre possession?

ARMANDE

Comment est-il venu en ta possession?

LÉONIDE

Je l'ai trouvé, sur le trottoir.

LE DROGUISTE

Vous avez eu l'impudence de le lire?

ARMANDE

Tu as eu l'impudence de le lire?

LÉONIDE

Est-ce que je te demande ton avis? Je l'ai feuilleté pour découvrir le nom de son propriétaire.

LE CONTRÔLEUR

Ce carnet appartient à Mlle Isabelle. Vous deviez le lui rendre.

ARMANDE

Ce carnet appartient à Mlle Isabelle. Tu devais le lui rendre.

LÉONIDE

Mêle-toi de ce qui te regarde! Le voici, monsieur le Maire! Ouvrez-le au hasard. Vous y verrez votre favorite à l'œuvre; s'ingéniant à séparer les époux mal assortis, excitant par des drogues les chevaux contre les charretiers qu'elle prétend brutaux, multipliant les lettres anonymes pour signaler aux maris ou aux femmes les vertus de leurs conjoints. Ouvrez-le au 21 mars, par exemple, si vous voulez savoir combien vous fûtes avisé d'en faire votre maîtresse d'école! Quoi? Qu'est-ce qu'on dit?

ARMANDE

Mais c'est toi qui parles...

L'INSPECTEUR

Lisez, monsieur le Maire.

LE MAIRE, lisant.

« 21 mars... 21 mars!... Organisé petite fête du printemps. Profité de la circonstance pour faire à mes élèves l'éloge du corps, leur expliquer sa beauté. Souligné les bienfaits, la franchise de la coquetterie. Pour les exercer, élisons le plus bel homme de la ville. » Leur choix se porte sur le sous-préfet. Ce n'est déjà pas si mal.

ARMANDE

M. le Contrôleur n'était pas encore parmi nous.

L'INSPECTEUR

Mais en effet, c'est une infamie! Et à laquelle il faut porter promptement remède. Contrôleur, prévenez cette demoiselle d'avoir à venir immédiatement ici, avec ses élèves. Je vais passer illico leur examen. J'étais sûr qu'il y avait des femmes à la base de ces turpitudes. Dès qu'on laisse un peu de liberté à ces fourmis dans l'édifice social, toutes les poutres en sont rongées en un clin d'œil.

LE CONTRÔLEUR, sur le point de sortir se retourne.

Permettez, monsieur l'Inspecteur...

L'INSPECTEUR

Vous refusez d'aller chercher Mlle Isabelle?

LE CONTRÔLEUR

Certes, non, monsieur l'Inspecteur. Je voulais respectueusement contester l'exactitude de votre métaphore et vous faire remarquer qu'il y a pourtant une certaine différence entre les femmes et les fourmis.

L'INSPECTEUR

Si vous voyez la moindre, vous êtes plus malin que moi. Hâtez-vous, je vous prie.

LE CONTRÔLEUR

Notez que je ne méprise pas les fourmis. Je reconnais leurs qualités exceptionnelles. Je sais qu'elles traient des puces et qu'elles ont des militaires. Mais de là à les comparer aux femmes, à toutes les femmes, non!

ARMANDE

Pour une fois, bravo, monsieur le Contrôleur

LE CONTRÔLEUR

Vous avez dit cela en l'air, au hasard. Quelle est la caractéristique du physique de la fourmi?

L'INSPECTEUR

Je vous ai donné un ordre, Contrôleur.

LÉONIDE

Que disent-ils?

ARMANDE

L'Inspecteur prétend qu'il ne peut distinguer une femme d'une fourmi.

LÉONIDE

Il est marié?

L'INSPECTEUR, éclatant.

Non, je ne distingue pas, mademoiselle. Même affairement, même bavardage dès que deux se rencontrent. Même cruauté vis-à-vis de qui pénètre dans leur cercle. Et leur taille. Et tous ces paquets qu'elles portent. Absolument des fourmis.

LE CONTRÔLEUR

Monsieur l'Inspecteur, si, renversant une fourmi, vous la touchez du bout de l'index...

L'INSPECTEUR

Je vous enjoins pour la dernière fois, d'aller chercher Mlle Isabelle.

Le Contrôleur s'incline et sort.

LE MAIRE

Mais enfin, monsieur l'Inspecteur, nous nous étions réunis pour parler du spectre et non d'Isabelle!

ARMANDE

C'est la même chose

LE DROGUISTE

Vous allez sans doute prétendre aussi que Mlle Isabelle est une sorcière?

ARMANDE

Ouvrez le carnet au 14 juin, et lisez.

L'INSPECTEUR

Le 14 juin, c'était hier. Nous sommes bien le 15?

ARMANDE

Nous nous demandions pourquoi depuis quelque temps, Mlle Isabelle choisissait les bords de l'étang pour ses sorties nocturnes. La dernière page de son carnet vous fixera.

L'INSPECTEUR

Lisez, monsieur le Maire.

LE MAIRE, lisant.

« 14 juin. Je suis certaine que ce spectre a compris que je crois en lui, que je peux l'aider. Comment peut-on ne pas croire aux spectres? Il me cherche, car on signale son passage partout où j'ai mené mes fillettes en promenade. Près de quelque bois, à la chute du jour, il va sûrement m'apparaître, et quels conseils ne va-t-il pas me donner pour rendre la ville enfin parfaite. Je suis sûre que c'est pour demain. »

L'INSPECTEUR

Et demain, c'est aujourd'hui.

LÉONIDE

Que dit l'Inspecteur?

ARMANDE

Que demain, c'est aujourd'hui.

LÉONIDE

C'est une opinion...

LE CONTRÔLEUR, réapparaissant.

Mlle Isabelle me suit, monsieur l'Inspecteur.

ARMANDE

Partons, Léonide, Isabelle arrive.

L'INSPECTEUR

Mes remerciements, mesdemoiselles. J'espère que grâce à vos indications, nous allons voir enfin la vérité toute nue.

ARMANDE

C'est tout ce que nous avons à offrir à ces messieurs, nous ne disposons point de Mme Lambert...

L'INSPECTEUR

Vous savez manier la flèche du Parthe, mademoiselle.

LÉONIDE

Comment?

ARMANDE

L'Inspecteur parle de la flèche du Parthe.

LÉONIDE

Quelle panoplie!

Les demoiselles Mangebois sortent.

LE CONTRÔLEUR, regardant Isabelle qui approche.

Si les fourmis qui marchent dans les prairies ressemblent à la Victoire de Samothrace avec sa tête, à la Vénus de Milo avec ses bras, si le sang de la grenade colore leurs pommettes, celui de la framboise leur sourire, alors, oui, monsieur l'Inspecteur, et seulement dans ce cas, Isabelle ressemble à une fourmi. Regardez-la!

SCÈNE SIXIÈME

L'INSPECTEUR. LE CONTRÔLEUR. LE DROGUISTE. LE MAIRE. ISABELLE, puis LES PETITES FILLES.

ISABELLE

Vous m'avez demandée, monsieur l'Inspecteur?

L'INSPECTEUR

Mademoiselle, les bruits les plus fâcheux courent sur votre enseignement. Je vais voir immédiatement s'ils sont fondés et envisager la sanction.

ISABELLE

Je ne vous comprends pas, monsieur l'Inspecteur.

L'INSPECTEUR

Il suffit! Que l'examen commence... Entrez, les élèves... (*Elles rient.*) Pourquoi rient-elles ainsi?

ISABELLE

C'est que vous dites : entrez, et qu'il n'y a pas de porte, monsieur l'Inspecteur.

L'INSPECTEUR

Cette pédagogie de grand air est stupide... Le vocabulaire des Inspecteurs y perd la moitié de sa force... (*Chuchotements.*) Silence, là-bas... La première qui bavarde balaiera la classe, le champ, veux-je dire, la campagne... (*Rires...*) Mademoiselle, vos élèves sont insupportables!

LE MAIRE

Elles sont très gentilles, monsieur l'Inspecteur, regardez-les.

L'INSPECTEUR

Elles n'ont pas à être gentilles. Avec leur gentillesse, il n'en est pas une qui ne prétende avoir sa manière spéciale de sourire ou de cligner. J'entends que l'ensemble des élèves montre au maître le même visage sévère et uniforme qu'un jeu de dominos.

LE DROGUISTE

Vous n'y arriverez pas, monsieur l'Inspecteur.

L'INSPECTEUR

Et pourquoi?

LE DROGUISTE

Parce qu'elles sont gaies.

L'INSPECTEUR

Elles n'ont pas à être gaies. Vous avez au programme le certificat d'études et non le fou rire. Elles sont gaies parce que leur maîtresse ne les punit pas assez.

ISABELLE

Comment les punirais-je? Avec ces écoles de plein ciel, il ne subsiste presque aucun motif de punir. Tout ce qui est faute dans une classe devient une initiative et une intelligence au milieu de la nature. Punir une élève qui regarde au plafond? Regardez-le, ce plafond!

LE CONTRÔLEUR

En effet. Regardons-le.

L'INSPECTEUR

Le plafond, dans l'enseignement, doit être compris de façon à faire ressortir la taille de l'adulte vis-à-vis de la taille de l'enfant. Un maître qui adopte le plein air avoue qu'il est plus petit que l'arbre, moins corpulent que le bœuf, moins mobile que l'abeille, et sacrifie la meilleure preuve de sa dignité. (*Rires...*) Qu'y a-t-il encore?

LE MAIRE

C'est une chenille qui monte sur vous, monsieur l'Inspecteur!

L'INSPECTEUR

Elle arrive bien... Tant pis pour elle!

ISABELLE

Oh! monsieur l'Inspecteur... Ne la tuez pas. C'est la *collata azurea*. Elle remplit sa mission de chenille!

L'INSPECTEUR

Mensonge. La mission de la *collata azurea* n'a jamais été de grimper sur les Inspecteurs. (*Sanglots.*) Qu'ont-elles maintenant? Elles pleurent?

LUCE

Parce que vous avez tué la *collata azurea!*

L'INSPECTEUR

Si c'était un merle qui emportât la *collata azurea,* elles trouveraient son exploit superbe, évidemment, elles s'extasieraient.

LUCE

C'est que la chenille est la nourriture du merle!...

LE CONTRÔLEUR

Très juste. La chenille en tant qu'aliment perd toute sympathie.

L'INSPECTEUR

Ainsi, voilà où votre enseignement mène vos élèves, mademoiselle, à ce qu'elles désirent voir un Inspecteur manger les chenilles qu'il tue! Eh bien, non, elles seront déçues. Je tuerai mes chenilles sans les manger, et je préviens tous vos camarades de classe habituels, mes petites, insectes, reptiles et rongeurs, qu'ils ne s'avisent pas d'effleurer mon cou ou d'entrer dans mes chaussettes, sinon je les tuerai!... Toi, la brune, veille à tes taupes, car j'écraserai les taupes, et toi, la rousse, si un de tes écureuils passe à ma portée, je lui romps sa nuque d'écureuil, de ces mains, aussi vrai que, quand je serai mort, je serai mort... (*Elles s'esclaffent...*)

LES PETITES FILLES

Pfl...

L'INSPECTEUR

Qu'ont-elles à s'esclaffer?

ISABELLE

C'est l'idée que quand vous serez mort, vous serez mort, monsieur l'Inspecteur...

LE MAIRE

Si nous commencions l'examen?

L'INSPECTEUR

Appelez la première. (*Mouvements.*) Pourquoi ces mouvements?

ISABELLE

C'est qu'il n'y a pas de première, monsieur l'Inspecteur, ni de seconde, ni de troisième. Vous ne pensez pas que j'irais leur infliger des froissements d'amour-propre. Il y a la plus grande, la plus bavarde, mais elles sont toutes premières.

L'INSPECTEUR

Ou toutes dernières, plus vraisemblablement. Toi, là-bas, commence! En quoi es-tu la plus forte?

GILBERTE

En botanique, monsieur l'Inspecteur.

L'INSPECTEUR

En botanique? Explique-moi la différence entre les monocotylédons et les dicotylédons?

GILBERTE

J'ai dit en botanique, monsieur l'Inspecteur.

L'INSPECTEUR

Ecoutez-la! Sait-elle seulement ce qu'est un arbre?

GILBERTE

C'est justement ce qu'elle sait le mieux, monsieur l'Inspecteur.

ISABELLE

Si tu le sais, dis-le, Gilberte. Ces messieurs t'écoutent.

GILBERTE

L'arbre est le frère non mobile des hommes. Dans son langage, les assassins s'appellent les bûcherons, les croque-morts les charbonniers, les puces, les picverts.

IRÈNE

Par ses branches, les saisons nous font des signes toujours exacts. Par ses racines les morts soufflent jusqu'à son faîte leurs désirs, leurs rêves.

VIOLA

Et ce sont les fleurs dont toutes les plantes se couvrent au printemps.

L'INSPECTEUR

Oui, surtout les épinards... De sorte, ma petite, si je te comprends bien, que les racines sont le vrai feuillage, et le feuillage, les racines.

GILBERTE

Exactement.

L'INSPECTEUR

Zéro!... (*Elle rit.*) Pourquoi cette joie, petite effrontée?

ISABELLE

C'est que dans ma notation, j'ai adopté le zéro comme meilleure note, à cause de sa ressemblance avec l'infini.

LE CONTRÔLEUR

Intéressant.

L'INSPECTEUR

Monsieur le Maire, vraiment, je suffoque... Continuez, mademoiselle, interrogez vous-même.

ISABELLE

Parle de la fleur, Daisy.

DAISY

La fleur est la plus noble conquête de l'homme.

L'INSPECTEUR

Très bien. Cela promet.

DAISY

Dans la fleur, mon attention se porte sur le pistil et les étamines. C'est eux qui reçoivent le pollen des autres fleurs, par l'entremise du vent. C'est ainsi que naît la plante, d'une façon tellement différente de celle adoptée par l'oiseau.

GILBERTE

L'Ornithorynque...

VIOLA

Surtout le carnivore!...

L'INSPECTEUR

Un scandale, monsieur le Maire, un scandale! Mon opinion sur les événements du bourg est faite!

LE MAIRE

Passons à la géographie, monsieur l'Inspecteur... Toi, ma petite Viola, qui cause les éruptions des volcans?

VIOLA

C'est l'ensemblier, monsieur le Maire.

L'INSPECTEUR

C'est quoi?

VIOLA

C'est l'ensemblier!

LES FILLETTES

C'est l'ensemblier!

L'INSPECTEUR

L'ensemblier? Elles sont folles?

ISABELLE

Monsieur l'Inspecteur, je veille à ce que ces enfants ne croient pas à l'injustice de la nature. Je leur en présente toutes les grandes catastrophes comme des détails regrettables il est vrai, mais nécessaires pour obtenir un univers satisfaisant dans son ensemble, et la puissance, l'esprit qui les provoque, nous l'appelons, pour cette raison, l'ensemblier!

LE CONTRÔLEUR

Très juste! Très sensé!

L'INSPECTEUR

Et je suppose, mademoiselle, si je comprends bien votre méthode, que vous avez imaginé aussi, pour expliquer les petits ennuis et les petites surprises de la vie, un second personnage malin et invisible, celui qui claque les volets la nuit ou amène un vieux monsieur à s'asseoir dans la tarte aux prunes posée par négligence sur une chaise?

VIOLA

Oh! oui, monsieur l'Inspecteur! C'est Arthur!

L'INSPECTEUR

C'est Arthur ou l'Ensemblier, qui fait monter la chenille sur les Inspecteurs en visite?

LES PETITES FILLES

C'est Arthur! C'est Arthur!

L'INSPECTEUR

Et c'est Arthur qui fait tuer la chenille par les Inspecteurs?

LES PETITES FILLES

Non, non, l'Ensemblier! L'Ensemblier!

LES AUTRES ASSISTANTS

L'Ensemblier!

L'INSPECTEUR

C'est à désespérer, monsieur le Maire! Je n'ai jamais vu cela!

LE MAIRE

Peut-être qu'en histoire elles seront plus fortes...

L'INSPECTEUR

En histoire? Mais vous ne voyez donc pas à quoi tend cette éducation? A rien moins qu'à soustraire ces jeunes esprits au filet de vérité que notre magnifique XIXe siècle a tendu sur notre pays. En histoire! Mais ce sera comme en calcul ou en géographie! Et vous allez le voir! Toi, qu'est-ce qui règne entre la France et l'Allemagne?

IRÈNE

L'amitié éternelle. La paix.

L'INSPECTEUR

C'est trop peu dire. Toi, qu'est-ce qu'un angle droit?

LUCE

Il n'y a pas d'angle droit. L'angle droit n'existe pas dans la nature. Le seul angle à peu près droit s'obtient en prolongeant par une ligne imaginaire le nez grec jusqu'au sol grec.

L'INSPECTEUR

Naturellement! Toi, combien font deux et deux?

DAISY

Quatre, monsieur l'Inspecteur.

L'INSPECTEUR

Vous voyez, monsieur le Maire... Ah! pardon! Ces petites imbéciles me font perdre la tête. D'ailleurs, au fait, d'où vient que, pour elles aussi, deux et deux font quatre? Par quelle aberration nouvelle, quel raffinement de sadisme, cette femme a-t-elle imaginé cette fausse table de multiplication absolument conforme à la vraie!... Je suis sûr que son quatre est un faux quatre, un cinq dévergondé et dissimulé. Deux et deux font cinq, n'est-ce pas, ma petite?

DAISY

Non, monsieur l'Inspecteur, quatre.

L'INSPECTEUR

Et entêtées, avec cela! Toi, chante-moi la *Marseillaise!*

LE MAIRE

Est-ce bien au programme, monsieur l'Inspecteur?

L'INSPECTEUR

Qu'elle chante la *Marseillaise!*

ISABELLE

Mais elle la sait, monsieur l'Inspecteur. La *Marseillaise* des petites filles, naturellement.

DENISE

Je la sais, monsieur le Maire. Je la sais!

Elle chante.

LA MARSEILLAISE DES PETITES FILLES

Le Pays des petites filles,
C'est d'avoir plus tard un mari,
Qu'il ait nom Paul, John ou Dimitri.
Pourvu qu'il sache aimer et que bien il s'habille.

ISABELLE

Au refrain, mes enfants!

LES PETITES FILLES

Refrain

A Marseille, à Marseille,
La patrie, c'est le soleil!
Le vrai quatorze juillet
C'est Marseille ensoleillé!

L'INSPECTEUR

Quelle honte! Et peignées, chacune à sa guise! Et ce signe qu'elles ont au cou, au crayon rouge, c'est un vaccin?

LUCE

Non, monsieur l'Inspecteur, c'est pour les spectres!

L'INSPECTEUR

Nous y voilà. Ces demoiselles Mangebois avaient raison. Les spectres?

LUCE

Les spectres, les fantômes. C'est la marque à laquelle ils reconnaissent des amis, mademoiselle l'écrit elle-même sur nous tous les matins!

L'INSPECTEUR

Effacez-la!

LUCE ET LES PETITES FILLES

Jamais! Jamais!

VIOLA

Nous avons trop peur.

LES PETITES FILLES

Nous avons trop peur; le spectre est dans les environs.

L'INSPECTEUR

Effacez-la, ou je vous gifle!

LES PETITES FILLES

Nous avons trop peur! Le spectre est dans les environs!

L'INSPECTEUR

Taisez-vous. Apprenez qu'après la mort il n'y a pas de spectres, petites effrontées, mais des carcasses; pas de revenants mais des os et des vers. Et répétez toutes ce que je viens de vous dire. Toi, qu'est-ce qu'il y a après la mort?

LE DROGUISTE

Ne leur gâtez pas l'idée qu'elles ont de la vie, monsieur l'Inspecteur.

L'INSPECTEUR

Elles en auront toujours une idée trop favorable, monsieur le Droguiste. Je vais leur apprendre ce qu'est la vie à ces nigaudes : une aventure lamentable, avec, pour les hommes, des traitements de début misérables, des avancements de tortue, des retraites inexistantes, des boutons de faux col en révolte, et pour des niaises comme elles, bavardage et cocuage, casserole et vitriol. Ces petites imbéciles me font parler en vers pour la première fois de ma vie. Ah! vous apprenez le bonheur à vos élèves, mademoiselle!

ISABELLE

Je leur apprends ce que Dieu a prévu pour elles!

L'INSPECTEUR

Mensonge. Dieu n'a pas prévu le bonheur pour ses créatures : il n'a prévu que des compensations, la pêche à la ligne, l'amour et le gâtisme. Monsieur le Maire, ma décision est prise. Le Contrôleur, dont les fonctions ne sont pas autrement absorbantes, assurera provisoirement la direction de la classe. Où allez-vous, mesdemoiselles? C'est l'ensemblier qui vous fait sortir sans prendre congé?

ISABELLE

Faites vos révérences, mes enfants.

L'INSPECTEUR

Par deux, et fermez vos bouches; les cas d'aérophagie pullulent dans l'arrondissement. Qu'est-ce que tu emportes là?

GILBERTE

Le tableau bleu, monsieur l'Inspecteur.

L'INSPECTEUR

Que le tableau bleu reste ici! Qu'il reste avec la craie dorée, l'encre rose, et le crayon caca d'oie. Vous aurez un tableau noir, désormais! Et de l'encre noire! Et des vêtements noirs! Le noir a toujours été dans notre beau pays, la couleur de la jeunesse... Et regardez-moi! A la bonne heure, elles commencent à se ressembler maintenant. Un mois de discipline et l'on ne pourra plus les distinguer l'une de l'autre... Quant à vous, mademoiselle, j'écris dans l'heure à vos parents que vous déshonorez leur famille et notre Université.

ISABELLE

Je suis orpheline, monsieur l'Inspecteur.

L'INSPECTEUR

Tant mieux pour eux. Au moins ils ne vous voient pas.

ISABELLE

Ils me voient, monsieur l'Inspecteur, et m'approuvent.

L'INSPECTEUR

Félicitations. Cela nous donne une haute idée de l'enseignement primaire aux Enfers.

ISABELLE

Sortez, monsieur l'Inspecteur!

L'INSPECTEUR

Je sors, mademoiselle. Il n'y a pas de porte, mais je sors. Nous nous retrouverons. Je demeure ici jusqu'à ce que j'aie liquidé ce scandale... Venez, messieurs! Où est mon chapeau? Qui a mis un hérisson à la place de mon chapeau?

VIOLA

C'est Arthur, monsieur l'Inspecteur...

LES PETITES FILLES

C'est Arthur! monsieur l'Inspecteur! C'est Arthur!

Tous sortent, moins Isabelle et le Droguiste.

SCÈNE SEPTIÈME

ISABELLE. LE DROGUISTE.

ISABELLE

Vous avez à dire quelque chose, monsieur le Droguiste?

LE DROGUISTE

Non. Je n'ai absolument rien à dire.

ISABELLE

A faire, alors?

LE DROGUISTE

Non, je n'ai absolument rien à faire. Je reste une minute, pour la transition.

ISABELLE

Quelle transition?

LE DROGUISTE

A mon âge, mademoiselle, chacun se rend compte du personnage que le destin a entendu lui faire jouer sur la scène de la vie. Moi, il m'utilise pour les transitions.

ISABELLE

Certes, vous êtes toujours le bienvenu.

LE DROGUISTE

Ce n'est pas précisément ce que je veux dire. Mais je sens que ma présence sert toujours d'écluse entre deux instants qui ne sont pas au même niveau, de tampon entre deux épisodes qui se heurtent, entre le bonheur et le malheur, le précis et le trouble, ou inversement. On le sait dans la ville... C'est toujours moi que l'on charge d'apprendre l'accident mortel d'auto de leur amant à des femmes qui jouent au bridge, le gain du million de la loterie à un cardiaque. C'est moi qui ai annoncé la déclaration de la guerre à l'Union des mères des soldats de l'active... J'arrive, et, par cette seule présence, le passé prend la main du présent le plus inattendu.

ISABELLE

Et vous voyez la nécessité d'une transition en ce moment?

LE DROGUISTE

Au plus haut point. Nous voilà installés, du fait de l'Inspecteur, dans un présent ridicule, trivial, cruel, et il ne faut pas être grand clerc pour sentir que, pourtant, en cette minute, un moment de douceur et de calme suprême cherche, dans le soir, à se poser. Et il y a aussi la transition à ménager entre l'Isabelle que nous connaissons, si vive, si terrestre, et je ne sais quelle Isabelle amoureuse et surnaturelle, à nous inconnue.

ISABELLE

Comment allez-vous vous y prendre?

LE DROGUISTE

Avec vous, rien de plus simple. Avec cette femme au bridge dont l'amant s'était noyé, certes, il m'a fallu un bon quart d'heure. Elle avait cent d'as, trois rois, et on lui contrait les trois sans atout de sa demande. Elle surcontrait, naturellement... L'amener de ce délire à son Emmanuel noyé, ce ne fut pas une petite affaire... Mais avec vous, Isabelle, pour que le mystère s'installe sur le moment le plus vulgaire, il suffit d'un rien, d'un geste, de ce geste... d'un silence, de ce silence... (*Court silence.*) Voyez, c'est presque fait. Mes collègues en transition, la chauve-souris, la chouette, commencent doucement leur ronde... Dites seulement le nom de cette heure : et tout sera prêt.

ISABELLE

Tout haut?

LE DROGUISTE

Oui, qu'on entende...

ISABELLE

On m'a dit jadis qu'elle s'appelait le crépuscule.

LE DROGUISTE

On ne vous a pas menti... Et, au crépuscule, quel écho vient des petites villes?

ISABELLE

Celui des clairons qui s'exercent. (*Clairons.*)

LE DROGUISTE

Ecoutez-les... Il y a trois bruits qui sont le diapason de notre pays, le ratissage des allées dans le sommeil de l'aube, le coup de feu d'après vêpres, et les clairons au crépuscule...

ISABELLE

Ils se taisent.

LE DROGUISTE

Et quand le dernier clairon s'est tu, qui se dresse parmi les roseaux et les saules, qui ajuste sa cape noire, et circule à travers les cyprès et les ifs, s'adossant aux ombres déjà prises de la future nuit?...

ISABELLE, souriant.

Le spectre! Le spectre!

LE DROGUISTE, disparaissant.

Voilà... J'ai fini!

SCÈNE HUITIÈME

ISABELLE. LE SPECTRE.

Isabelle est assise sur le tertre. Elle a tiré sa glace, se regarde, regarde ses yeux, ses cheveux. Le fantôme surgit derrière elle. Elle le voit dans le miroir. Bel homme jeune. Pourpoint velours. Visage pâle et net. Un moment de confrontation comme une conversation muette. Isabelle baisse le petit miroir, le relève, envoie une tache de soleil, du soleil couchant, sur le spectre qui semble souffrir.

ISABELLE

Je m'excuse, de cette tache de soleil!

LE SPECTRE

C'est passé. La lune est venue.

ISABELLE

Vous entendez ce que disent les vivants, tous les vivants?

LE SPECTRE

Je vous entends.

ISABELLE

Tant mieux. Je désirais tellement vous parler

LE SPECTRE

Me parler de qui?

ISABELLE

De vos amis, de mes amis aussi, j'en suis sûre : des morts. Vous savez pas mal de choses, sur les morts?

LE SPECTRE

Cela commence.

ISABELLE

Vous me les direz?

LE SPECTRE

Venez ici, chaque soir, à cette même heure, et je les dirai. Votre nom?

ISABELLE

Mon nom est vraiment sans intérêt. Vous me les direz, je pense, d'une façon un peu moins grave. Vous n'allez pas me faire croire qu'ils ne sourient jamais?

LE SPECTRE

Qui, ils?

ISABELLE

Nous parlons des morts.

LE SPECTRE

Pourquoi souriraient-ils?

ISABELLE

Que font-ils alors, quand il arrive quelque chose de drôle aux Enfers?

LE SPECTRE

De drôle aux Enfers?

ISABELLE

De drôle ou de tendre, ou d'inattendu. Car je pense bien qu'il y a des morts maladroits, des morts comiques, des morts distraits?

LE SPECTRE

Que laisseraient-ils tomber? Sur quoi glisseraient-ils?

ISABELLE

Sur ce qui correspond dans leur domaine au cristal ou aux pelures d'orange... Sur un souvenir... Sur un oubli...

LE SPECTRE

Non. Tous les morts sont extraordinairement habiles... Ils ne butent jamais contre le vide. Ils ne s'accrochent jamais à l'ombre... Ils ne se prennent jamais le pied dans le néant... Et leur visage, rien jamais ne l'éclaire...

ISABELLE

C'est là ce que je ne peux arriver à comprendre, que les morts eux-mêmes croient à la mort. Des vivants, on peut concevoir une telle bêtise. Il est juste de croire que la stupidité, le mensonge, l'obésité auront leur fin, de croire aussi que la bonté, la beauté mourront. Leur fragilité est leur lustre. Mais, des morts, j'attendais autre chose! De ces morts dont toute part est noble, purifiée, pure, j'attendais autre chose.

LE SPECTRE

Qu'ils croient à la vie, n'est-ce pas?

ISABELLE

A la vie des morts, sans aucun doute... Voulez-vous que je vous parle franchement? J'ai souvent l'impression qu'ils se laissent aller. Ne parlons pas de vous, qui êtes là, que je remercie d'être là. Mais je pense qu'il leur suffirait peut-être d'un peu plus de volonté, de gaieté, pour s'évader et venir vers nous. Il ne s'est donc trouvé personne parmi eux pour leur en donner le désir?

LE SPECTRE

Ils vous attendent...

ISABELLE

Je viendrai... Je viendrai... Mais je n'ai pas le sentiment que je serai particulièrement forte et volontaire, une fois disparue. Je sens très bien au contraire que ce qui me plaira dans la mort, c'est la paresse de la mort, c'est cette fluidité un peu dense et engourdie de la mort, qui fait qu'en somme, il n'y a pas des morts, mais uniquement des noyés... Ce que je peux faire pour la mort, je ne peux l'accomplir que dans cette vie... Ecoutez-moi... Depuis mon enfance, je rêve d'une grande entreprise... C'est ce rêve qui me rend digne de votre visite... Dites-moi : il n'y a donc pas encore eu de mort de génie, de mort qui rende la foule des morts consciente de sa force, de sa réalité, — un empereur, un messie des morts? Ne croyez-vous pas que tout serait merveilleusement changé, pour vous et pour nous, s'il surgissait un jeune mort, une jeune morte, — ou un couple, ce serait si beau, — qui leur fasse aimer leur état et comprendre qu'ils sont immortels?

LE SPECTRE

Ils ne le sont pas.

ISABELLE

Comment cela?

LE SPECTRE

Eux aussi, ils meurent.

ISABELLE

C'est curieux comme toutes les races se

connaissent mal! La race des Indiens se croit rouge, la race des nègres se croit blanche, la race des morts se croit mortelle.

LE SPECTRE

Il arrive qu'une fatigue les prend, qu'une peste des morts sur eux souffle, qu'une tumeur de néant les ronge... Le beau gris de leur ombre s'argente, s'huile. Alors, c'est bientôt la fin, la fin de tout...

ISABELLE

Voyons, vous n'allez pas croire cela!... Il est sûrement un moyen d'expliquer cette défaillance!

LE SPECTRE

La fin de la mort.

ISABELLE

Certainement non! Ne soyez pas obstiné... Racontez-moi tout et je suis sûre de tout vous expliquer pour le mieux...

LE SPECTRE

Tout? Votre nom, d'abord

ISABELLE

Je vous dis que mon nom n'a pas d'importance... Je m'appelle comme tout le monde... Parlez... Ayez confiance!

LE SPECTRE

Après la mort de la mort...

ISABELLE

Très bien... C'est juste maintenant que cela devient intéressant. Après la mort de la mort qu'arrive-t-il?... Je vous écoute... Voilà... (*Elle regarde derrière elle.*) Personne ne peut entendre... Personne... (*Pendant qu'elle se retournait, le spectre a disparu.*) Où êtes-vous? Où êtes-vous? (*Elle regarde désespérée autour d'elle Elle crie :*) Isabelle! Je m'appelle Isabelle!

RIDEAU

ACTE DEUXIEME

Un autre aspect de la campagne. Bosquets de hêtres. Haies. Crépuscule encore lointain.

SCÈNE PREMIÈRE

LE CONTRÔLEUR. LES PETITES FILLES
(munies de lampes électriques).
Puis le DROGUISTE.

LE CONTRÔLEUR
Formez le triangle, mes enfants.

Les fillettes forment une sorte de triangle, en chantant.

LES FILLETTES, chantant.

Le grand frisson qu'éprouva Bougainville
Ce fut un soir à Nouméa
De voir les feux du Triangle immobile
Ruisseler sur les bougainvilléas!...

LE CONTRÔLEUR

Très bien. La Balance!

LES FILLETTES, chantant et formant une balance dont la plus grande est le fléau.

Si s'exauçait le vœu de mon enfance,
Pour peser le poids de la nuit,
Au ciel astral je serai la Balance
Dont les plateaux sont la joie et l'ennui...

LE CONTRÔLEUR

Les Quatre Loups!

LE DROGUISTE, entrant.

Bonjour, mes enfants, vous jouez aux quatre coins?

LE CONTRÔLEUR

Aux quatre coins du ciel, oui.

LES PETITES FILLES

Bonne nuit, monsieur le Droguiste, bonne nuit.

LE DROGUISTE

Pourquoi bonne nuit? Le jour est encore très

haut. Que fait celle-là, les jambes écartées, avec sa lampe électrique?

GILBERTE

Je suis le Compas austral, monsieur le Droguiste.

LE CONTRÔLEUR

Vous nous surprenez en plein cours d'astronomie. Relève ta lampe, Gilberte. Tu es de première grandeur.

LE DROGUISTE

Vous avez bien choisi votre soir. Vous pourrez voir les étoiles surgir, l'une après l'autre. Belle nuit pour les petites filles qui veulent apprendre à compter jusqu'au milliard. Vous aurez même Orion.

LE CONTRÔLEUR

Hélas! non. L'Inspecteur exige que mes élèves se couchent avec le soleil.

LE DROGUISTE

Et vous leur parlez de nos astres devant un ciel vide? Mauvais système, et qui risque d'exciter la concupiscence de ces jeunes demoiselles : elles vont se mettre à désirer les étoiles comme des diamants.

LE CONTRÔLEUR

Je m'en garde. Je sais trop que les petites

filles ne croient que ce qu'elles voient. Leurs yeux ne leur permettent pas de distinguer en plein jour à travers l'air notre voûte céleste, mais c'est un jeu pour leur imagination de voir à travers la terre tous les détails de l'autre calotte du firmament. Oui, nous sommes en pleine nuit australe.

LE DROGUISTE

Et elles s'y reconnaissent?

LE CONTRÔLEUR

Où est la Balance volante, Daisy?

DAISY

Exactement sous M. le Droguiste.

LUCE

C'est pour cela qu'on le voit si bien.

LE CONTRÔLEUR

L'avantage de ces constellations océaniennes est que les anciens ne les ont pas connues et qu'elles ont été baptisées par quelque astronome physicien ou franc-maçon. C'est un ciel complètement moderne. Il est plein, non de héros, mais d'objets : l'horloge, le triangle, la balance, le compas. On dirait un atelier. Les enfants adorent les ateliers... Viola, saute du triangle à la machine pneumatique!

VIOLA

Par la boussole?

LE CONTRÔLEUR

Non, par le poisson austral.

VIOLA

C'est qu'il y a onze milliards de lieues.

LE CONTRÔLEUR

Mets deux enjambées, nigaude. Très bien. Reformez la Croix du Sud, mes enfants.

Les fillettes forment une croix en chantant.

LES FILLETTES

Pas n'est besoin, racontait La Pérouse,
De connaître le Talmud
Pour découvrir l'antipode jalouse.
Mon gouvernail, ce fut la Croix du Sud.

LE CONTRÔLEUR

L'inconvénient du système, évidemment, est que j'en arrive à leur montrer le ciel comme un plancher et non un plafond, la nuit comme quelque chose sur quoi l'on marche.

LE DROGUISTE

N'ayez pas peur. Au premier tour complet de leur cœur, elles la retrouveront au-dessus d'elles. Elles sont logiques.

LE CONTRÔLEUR

Elles sont logiques en ce que j'obtiens toujours avec elles le résultat contraire à celui que j'attendais. Cette semaine, par exemple, pour leur mettre dans la tête la notion la plus utile à l'homme, celle du volume, de la pesanteur, je leur ai fait soupeser de la fonte, j'ai cassé un thermomètre pour remplir leurs dés de mercure. Elles ont tenu à me porter à elles toutes pour voir ce que pèse un homme. Résultat : elles sont toutes amoureuses du spectre.

LUCE

Comme Mlle Isabelle!

LE CONTRÔLEUR

Tu seras punie, Luce. Eteins ta lampe. Tu seras étoile morte pendant dix minutes. Vas-tu éteindre?

LUCE

Les étoiles mortes brillent encore deux millions d'années après leur mort.

LE CONTRÔLEUR

Oui, et les humains deux secondes. Eteins. D'ailleurs, c'est l'heure de la récréation. Disparaissez.

Les fillettes disparaissent.

LE DROGUISTE

Vous vous intéressez beaucoup à Mlle Isabelle?

LE CONTRÔLEUR

Je ne suis malheureusement pas le seul. Depuis ce matin, j'ai l'impression que l'Inspecteur aussi est au courant.

LE DROGUISTE

Au courant de quoi?

LE CONTRÔLEUR

Ne faites pas non plus l'ignorant. Vous savez parfaitement que le spectre continue à apparaître et que l'on rencontre un peu trop souvent Isabelle dans les parages où il revient.

LE DROGUISTE

C'est son droit.

LE CONTRÔLEUR

Ce n'est pas son droit. Elle qui nous appartenait à tous, qui est le bon sens de la ville, de la nature entière, elle n'en a pas le droit Car vous n'allez pas me dire, cher Droguiste, que vous croyez vraiment que ce spectre existe.

LE DROGUISTE

Qu'il existe déjà, je n'en suis pas sûr, en effet. Mais qu'il existera ce soir, c'est fort possible.

LE CONTRÔLEUR

Je ne vous suis pas.

LE DROGUISTE

J'ai tout à fait l'impression que nous pourrions fort bien assister, ce soir, à la naissance d'un spectre.

LE CONTRÔLEUR

La naissance d'un spectre? Comment? Pourquoi?

LE DROGUISTE

Comment, je n'en sais rien. Ce sera notre surprise. Pourquoi? Parce que je n'imagine pas qu'une pareille atmosphère se soit amassée sur notre ville gratuitement. Chaque fois que la nature a pris, vis-à-vis d'une agglomération d'hommes, ce ton d'ironie, ce froncement comique et inquiétant du front de l'éléphant que son cornac énerve, il en est toujours résulté un événement mystérieux, naissance d'un prophète, crime rituel, découverte d'une nouvelle espèce animale. C'est dans un de ces instants que le premier cheval est apparu soudain devant la caverne de nos ancêtres. Nous ne ferons pas exception.

LE CONTRÔLEUR

Pour cela, c'est exact. Notre ville est folle.

LE DROGUISTE

Elle est bien plutôt dans cet état où tous les vœux s'exaucent, où toutes les divagations se trouvent être justes. Chez un individu, cela s'appelle l'état poétique. Notre ville est en délire poétique. Vous ne l'avez pas constaté sur vous-même?

LE CONTRÔLEUR

Si fait! Ce matin, à mon lever, j'ai pensé, Dieu sait pourquoi, à ce singe dénommé mandrille, dont le derrière est tricolore. Qui ai-je heurté en poussant ma porte? Un mandrille. Un mandrille apprivoisé que des bohémiens tenaient en laisse, mais enfin, il y avait un mandrille sur mon trottoir.

LE DROGUISTE

Et si vous aviez pensé à un tatou, vous auriez heurté un tatou; à une Martiniquaise et cela eût été une Martiniquaise, et tout se fût expliqué de la façon la plus naturelle, par le passage d'un cirque ou le déménagement d'un gouverneur colonial en retraite. La ville est en état de chance, comme un individu à la roulette qui gagne à chaque coup sur le numéro plein.

LE CONTRÔLEUR

Mais alors, ne devons-nous pas veiller plus étroitement sur Mlle Isabelle?

LE DROGUISTE

Sans aucun doute. Car la nature n'est jamais grosse impunément Les montagnes n'ont jamais accouché d'un rat, ni les orages d'un oiseau, mais de lave et de foudre. Tout va s'y mettre pour nous créer un spectre, la lumière, l'ombre, la bêtise, l'imagination, les spectres eux-mêmes, s'ils existent, sans compter l'Inspecteur.

LE CONTRÔLEUR

Notre numéro plein est sorti. Le voilà...

SCÈNE DEUXIÈME

LE CONTRÔLEUR. L'INSPECTEUR – LE MAIRE. LE DROGUISTE.

L'INSPECTEUR

Affaire urgente, messieurs, voici la lettre que, par courrier spécial, m'expédie le gouvernement. Lisez, monsieur le Maire, elle vous intéresse.

LE MAIRE

Croyez-vous vraiment qu'elle m'intéresse?

L'INSPECTEUR

Autant que moi, surtout la fin.

LE MAIRE

Mais la fin, justement...

L'INSPECTEUR

Je vous prie de la lire.

LE MAIRE

Le gouvernement me semble du dernier bien avec vous?

L'INSPECTEUR

Il l'est, pour mon bonheur.

LE MAIRE

Il dépose un baiser sur votre bouche adorée, vous réclame cent francs et signe « Ton Adèle ».

L'INSPECTEUR

Pardon, j'ai confondu. Voici la vraie lettre. J'exige votre sérieux, messieurs. Nous touchons à une heure tragique.

LE MAIRE, lisant.

« Le Conseil supérieur a pris connaissance des événements singuliers qui troublent votre circonscription. Passionnément laïque, il se félicite de voir que l'hystérie collective trouve en France un autre exutoire que le miracle. Il n'attendait pas moins de la terre limousine qui a su jeter entre le naturalisme des druides et le radicalisme contemporain, au-dessus des superstitions cléricales et tout en donnant trois papes à la chrétienté, une arche de croyances locales et poétiques. »

LE CONTRÔLEUR

Comme c'est bien dit! De qui se compose le Conseil supérieur?

L'INSPECTEUR

Son nom même l'indique : des esprits supérieurs.

LE MAIRE, lisant.

« Cependant, le caractère des perturbations provoquées par ce spectre dans la vie communale n'est pas suffisamment démocratique pour justifier une collaboration tacite du gouvernement. En conséquence, le Conseil vous donne pleins pouvoirs pour aérer définitivement le district et place à votre disposition les autorités civiles et militaires. »

L'INSPECTEUR

Donc, messieurs, au travail. Terminons notre chasse.

LE MAIRE

N'est-elle pas terminée, monsieur l'Inspecteur? Depuis quinze jours que nous pourchassons dans la ville les êtres et les animaux suspects d'étrangeté, le gibier s'épuise.

L'INSPECTEUR

Vraiment, et quel était le tableau d'hier?

LE MAIRE

Insignifiant!

L'INSPECTEUR

En ce qui concerne les hommes?

LE CONTRÔLEUR

Nous avons mis sous séquestre le registre où le Conservateur des Hypothèques inscrivait secrètement les hypothèques morales et démoniaques de nos compatriotes.

L'INSPECTEUR

En ce qui concerne les animaux?

LE MAIRE

Nous avons attrapé au lasso, et malheureusement privé de vie, un chien qui ressemblait étrangement à un de nos courtiers de publicité les plus en vue, mais qui a retrouvé dans la mort l'expression d'humanité et de loyauté familière à sa race. C'est peu.

L'INSPECTEUR

C'est peu. Et qu'avez-vous rêvé, cette nuit, mon cher Maire?

LE MAIRE

Ce que j'ai rêvé, pourquoi?

L'INSPECTEUR

Si l'atmosphère de la ville est à ce point purifiée, ses habitants doivent jouir des rêves les plus normaux de France. Vous rappelez-vous ce que vous avez rêvé?

LE MAIRE

Certes! Je me débattais contre deux hannetons géants qui, pour m'échapper, devinrent en fin de compte mes deux pieds. C'était gênant. Ils rongeaient le gazon et rien de plus difficile que d'avancer avec des pieds qui broutent. Puis, ils se changèrent en mille pattes, et alors, tout alla bien, trop bien!

L'INSPECTEUR

Et vous, cher Contrôleur?

LE CONTRÔLEUR

C'est assez délicat à vous dire.

L'INSPECTEUR

Vous êtes en service commandé.

LE CONTRÔLEUR

J'aimais avec délire une femme qui sautait en redingote à travers un cerceau, le sein droit dévoilé, et cette femme, c'était vous.

L'INSPECTEUR

Ainsi, messieurs, voilà le rêve, flatteur pour

moi j'en conviens, que vous appelez un rêve français normal. Et si vous le multipliez par quarante-deux millions, vous prétendez que ce résidu nocturne est digne du peuple le plus sensé et le plus pratique de l'univers?

LE CONTRÔLEUR

Par rapport au résidu des soixante-quatre millions de rêves allemands, c'est assez probable.

LE DROGUISTE

En somme, monsieur l'Inspecteur, vous commencez à être impressionné par ce surnaturel?

L'INSPECTEUR

J'en arrive à vous, Droguiste. En ce qui vous concerne aussi, la coupe est pleine. C'est grâce à votre éternel sourire et à votre silence perpétuel que notre lutte contre l'influence d'Isabelle n'a pas fait un pas dans la sous-préfecture. J'ai l'impression que vous n'êtes pas étranger à ces mystifications continuelles qui pouvaient avoir jadis leur sel dans quelque résidence de Thuringe, mais qui font tourner le cœur du citoyen éclairé. A minuit, une main facétieuse ajoute un treizième coup aux douze coups du beffroi. Il suffit qu'un haut fonctionnaire s'asseye sur un banc pour que ce banc devienne fraîchement peint, ou à une terrasse pour que le sucre refuse de fondre dans son café, même bouillant. Un martinet vient de me frapper de plein fouet, en pleine poitrine, habitué sans doute à traverser vos spectres. Je lui ai opposé pour son malheur la densité humaine, mais mes binocles de rechange sont en morceaux. Je frémis à l'idée des dérogations au bon sens que nous apportera demain le tirage de votre loterie mensuelle. Aussi, je vous en avertis. J'entends porter un terme à ces divagations humiliantes dès ce soir, en mettant définitivement Isabelle hors de cause.

LE MAIRE

Que vient faire Isabelle dans cette histoire?

L'INSPECTEUR

Monsieur le Maire, à part vous chacun sait dans la ville que depuis un demi-mois Mlle Isabelle accepte un rendez-vous quotidien.

LE CONTRÔLEUR

Mensonge.

LE MAIRE

Quelle est cette plaisanterie?

L'INSPECTEUR

Ce n'est pas une plaisanterie. Chaque soir, vers six heures, vers cette heure-ci, Isabelle s'échappe par un faubourg, de l'air faussement oisif de qui va ravitailler un évadé dans sa cachette. Mais elle est plus rose que jamais, son œil plus alerte à la fois et plus noyé, et, comme ses mains sont vides, il est hors de doute que les vivres portés par elle à ce protégé, c'est ce sang, cette vie, et cette tendresse... Un repas de spectre, en un mot, et peut-être avec dessert.

LE CONTRÔLEUR

Monsieur l'Inspecteur!

LE MAIRE

Voyons, monsieur l'Inspecteur. Si je me suis arrangé ce matin pour vous faire déjeuner avec Isabelle, c'est justement pour vous montrer combien tout en elle est réel, vivant. Avez-vous vu jamais un appétit plus humain?

L'INSPECTEUR

C'est ce qui vous trompe. Je l'ai bien observée. Evidemment, elle a repris du lièvre à la royale et causé de sérieux dommages dans le clan des profiteroles. Mais j'ai remarqué qu'à côté du vrai déjeuner de viandes et de crèmes, elle picorait, sans s'en douter elle-même, des miettes de pain, des grains de riz, des bribes de noisette, bref qu'elle faisait un de ces repas justement qu'on met dans les tombes. Qui, en elle, nourrissait-elle ainsi? Et dans sa toilette, à côté de sa robe, de son collier, j'ai distingué une seconde Isabelle, toute pâle, parée et préparée pour un rendez-vous infernal. Elle le croit du moins. C'est celle-là en ce moment qui se met hypocritement en route vers cette lisière de forêt et à laquelle nous allons nous attaquer sans retard

LE MAIRE

Mais que convient-il d'entreprendre d'après vous?

LE CONTRÔLEUR

Monsieur l'Inspecteur, évitons tout incident ou tout scandale. Mlle Isabelle veut bien parfois bavarder avec moi. Laissez-moi lui parler, attirer son attention sur les dangers de sa conduite. Je suis sûr de la convaincre.

LE DROGUISTE

Et peut-on vous demander par quel moyen vous comptez réduire Isabelle?

L'INSPECTEUR

Par la force. Ce n'est pas sans motif que j'ai attendu, pour agir, que le gouvernement plaçât à ma disposition les forces armées de la ville. Il faut liquider cette histoire de spectre. Par là seulement je peux atteindre le prestige d'Isabelle, et mon opinion diffère de la vôtre en ce que je crois avoir affaire, non à un spectre, mais à votre assassin du château. C'est ici qu'ils se rejoignent, et vers cette heure. Je viens lui tendre un guet-apens. Cachés derrière ce bosquet, les agents de la force publique se saisiront de lui à mon signal.

LE MAIRE

Ne comptez pas sur le garde champêtre, monsieur l'Inspecteur. C'est l'ouverture de la pêche. Il est en tournée.

L'INSPECTEUR

J'aurai donc recours aux gendarmes.

LE MAIRE

Les gendarmes sont en quarantaine, et aussi bien vis-à-vis des honnêtes que des malhonnêtes gens. Un cas de scarlatine s'est déclaré à la gendarmerie.

L'INSPECTEUR

Peu importe qu'un inspecteur attrape la scarlatine!

LE MAIRE

Ce n'est pas l'avis du Parquet, car c'est le Parquet que le malfaiteur contaminerait à son tour, du concierge au substitut. Une justice qui veut être saine exige des criminels sains.

L'INSPECTEUR

Vous ne me prendrez pas de court, monsieur le Maire. Je me doutais du peu d'empressement que l'on mettrait ici à seconder mes efforts et toutes mes précautions sont prises.

LE MAIRE

Qu'avez-vous encore imaginé?

L'INSPECTEUR

Rien que de simple. J'ai appris que la ville voisine recèle l'homme de France qui redoute le moins de se colleter avec les bandits morts et vivants.

LE MAIRE

L'ancien bourreau, qui a pris là-bas sa retraite?

L'INSPECTEUR

Lui-même, et je l'ai convoqué par une annonce qui lui promet cinq cents francs. Vous le connaissez?

LE MAIRE

Personne ne le connaît. Il vit très à l'écart. Mais l'effet de votre annonce, hélas, est trop certain! Où doit-il vous rejoindre?

L'INSPECTEUR

Ici même et je l'attends. Avec des armes.

LE MAIRE

Mais l'autre peut se débattre, se défendre!

LE CONTRÔLEUR

Monsieur l'Inspecteur, je vous en prie. Permettez-moi, avant qu'il ne soit trop tard, de parler d'abord à Mlle Isabelle!

L'INSPECTEUR

Chut, messieurs, la voilà! Vous voyez! Mes prévisions se vérifient. Vous avez cinq minutes pour la convaincre, monsieur le Contrôleur. Sinon je passe à l'action... Je vous laisse avec elle. Nous autres, allons au-devant de ce bourreau qui me semble tarder.

LE DROGUISTE

Le bourreau n'est exact qu'à l'aurore.

Ils sortent.

SCÈNE TROISIÈME

LE CONTRÔLEUR, puis ISABELLE.

LE CONTRÔLEUR

Quelle marche légère est la vôtre, mademoiselle Isabelle! Que ce soit sur le gravier ou les brindilles, on vous entend à peine. Comme les cambrioleurs qui savent dans les maisons ne pas faire craquer l'escalier, en marchant juste sur la tête des pointes qui l'ont cloué, vous posez vos pas sur la couture même de la province.

ISABELLE

Vous parlez bien, monsieur le Contrôleur. C'est très agréable de vous entendre.

LE CONTRÔLEUR

Oui. Je parle bien quand j'ai quelque chose à dire. Non pas que j'arrive précisément à dire ce que je veux dire. Malgré moi, je dis tout autre chose. Mais cela, je le dis bien... Je ne sais si vous me comprenez?

ISABELLE

Je comprends qu'en me parlant de la couture de la province, vous voulez m'exprimer un peu de sympathie. Vous êtes très gentil pour les femmes... C'est très bien ce que vous avez dit de Mme Lambert!

LE CONTRÔLEUR

Justement! En parlant d'elle, je ne pensais pas seulement à Mme Lambert.

ISABELLE

Vous pensiez à prendre le contrepied de l'Inspecteur. Je vous remercie. Tout ce que fait cet individu m'est incompréhensible et odieux : vous savez pourquoi il m'espionne?

LE CONTRÔLEUR

Il vient de nous le dire. Il trouve anormal que l'on croie aux spectres.

ISABELLE

Et vous, monsieur le Contrôleur? Vous ne croyez jamais à ce qui est anormal?

LE CONTRÔLEUR

Je commence à m'y habituer : il est anormal qu'il existe un être aussi parfait qu'Isabelle.

ISABELLE

Très bien dit. Ce n'est sûrement pas ce que vous vouliez dire.

LE CONTRÔLEUR

Oh! mademoiselle Isabelle...

ISABELLE, elle lui a souri, touchée.

Anormal de croire aux spectres! Ce que j'appelle anormale, moi, c'est cette indifférence que les vivants ont pour les morts. Ou nous vivons dans l'hypocrisie, et les milliards de chrétiens qui professent que les morts ont une autre vie le disent sans le croire. Ou bien, dès qu'ils parlent d'eux, ils deviennent égoïstes et myopes.

LE CONTRÔLEUR

Vous n'êtes plus myope, vous, mademoiselle Isabelle? Vous les voyez?

ISABELLE

Je ne vois pas encore très clair. Je n'en vois qu'un.

LE CONTRÔLEUR

Mais qui est beau, dit-on, dans la ville?

ISABELLE

Il n'est pas mal.

LE CONTRÔLEUR

Et jeune aussi, peut-être?

ISABELLE

Dans les trente ans. Autant prendre l'éternité à trente ans, n'est-ce pas, qu'avec une barbe blanche?

LE CONTRÔLEUR

Il vous approche? Vous lui permettez de vous toucher?

ISABELLE

Il ne m'approche pas. Je ne fais aucun pas vers lui. Je sais trop ce que peut ternir un souffle humain.

LE CONTRÔLEUR

Vous restez ainsi longtemps face à face?

ISABELLE

Des heures.

LE CONTRÔLEUR

Et vous trouvez cela vraiment très raisonnable?

ISABELLE

Cher monsieur le Contrôleur, je me suis obstinée toute ma jeunesse, pour obéir à mes maîtres, à refuser toutes autres invites que celles de ce monde. Tout ce que l'on nous a appris, à mes camarades et à moi, c'est une civilisation d'égoïstes, une politesse de termites. Petites filles, jeunes filles, nous devions baisser les yeux devant les oiseaux trop colorés, les nuages trop modelés, les hommes trop hommes, et devant tout ce qui est dans la nature un appel ou un signe. Nous sommes sorties du couvent en ne connaissant à fond qu'une part bien étroite de l'univers, la doublure intérieure de nos paupières. C'est très beau, évidemment, avec les cercles d'or, les étoiles, les losanges pourpres ou bleus, mais c'est restreint, même en forçant sa meilleure amie à appuyer de son doigt sur vos yeux.

LE CONTRÔLEUR

Mais vous avez été reçue la première au brevet, mademoiselle Isabelle. On vous a appris le savoir humain?

ISABELLE

Ce qu'on appelle ainsi c'est tout au plus la religion humaine et elle est un égoïsme terrible.

Son dogme est de rendre impossible ou stérile toute liaison avec d'autres que les humains, à désapprendre, sauf la langue humaine, toutes les langues qu'un enfant sait déjà. Dans cette fausse pudeur, cette obéissance stupide aux préjugés, quelles avances merveilleuses n'avons-nous pas rejetées de tous les étages du monde, de tous ses règnes. Moi seule ai osé répondre. Si tard, d'ailleurs. Mais j'entends répondre. Ma réponse aux morts n'est que la première.

LE CONTRÔLEUR

Et aux vivants, vous comptez aussi répondre un jour?

ISABELLE

Je réponds à tout ce qui m'interroge.

LE CONTRÔLEUR

Au vivant qui vous demandera de vivre avec lui, d'être votre mari, vous répondrez?

ISABELLE

Je répondrai que je prendrai seulement un mari qui ne m'interdise pas d'aimer à la fois la vie et la mort.

LE CONTRÔLEUR

La vie et la mort, cela peut encore aller, mais un vivant et un mort, c'est beaucoup, car si je comprends bien, vous continueriez à recevoir le spectre?

ISABELLE

Sans aucun doute, j'ai la chance d'avoir des amis dans d'autres domaines que la terre, j'entends en profiter.

LE CONTRÔLEUR

Et vous ne craignez pas que les événements de votre vie commune en soient amoindris ou gênés?

ISABELLE

En quoi? En quoi le fait pour un mari de trouver en revenant de la chasse ou de la pêche une femme qui croit à la vie suprême, de fermer le soir, après une réunion politique, les volets sur une femme qui croit à l'autre lumière peut-il l'humilier ou l'amoindrir? Cette heure vide de la journée que les autres épouses donnent à des visiteurs autrement dangereux, à leurs souvenirs, à leurs espoirs, au spectre de leur propre vie, à leur amant aussi, pourquoi ne serait-elle pas l'heure d'une amitié invisible?

LE CONTRÔLEUR

Parce que votre mari pourrait ne rien vouloir admettre entre vous et lui, même d'invisible et d'impalpable.

ISABELLE

Il y a déjà tant de choses impalpables entre deux époux. Une de plus ou de moins.

LE CONTRÔLEUR

Entre deux époux?

ISABELLE

Quand ce ne serait que leurs rêves... Quand ce ne serait que leur ombre. Vous ne vous amusez jamais à piétiner à leur insu l'ombre des personnes que vous aimez, à vous y loger, à la caresser?

LE CONTRÔLEUR

L'ombre de votre mari est à lui, et elle ne ressent rien.

ISABELLE

Alors, sa voix.

LE CONTRÔLEUR

Sa voix?

ISABELLE

Il y aura sûrement dans la voix de mon mari un timbre qui me plaira et qui ne sera pas lui, et que j'aimerai sans le lui dire. Et ses prunelles? Vous croyez que je penserai toujours à mon mari, cher monsieur le Contrôleur, en regardant ses prunelles? Je veux un mari comme je voudrais un diamant, pour les joies et pour les feux qu'il me donnera sans s'en douter. Mille choses de lui me feront sans cesse des signes qui le trahiront et le spectre à son égard sera sûrement plus loyal que sa propre apparence.

LE CONTRÔLEUR

Tout ce que l'on sait des spectres, c'est qu'ils sont terriblement fidèles. Leur manque d'occupation le leur permet. Vous verrez apparaître sa tache grise dans les heures où il ne sera qu'un importun et vous n'aurez finalement gagné, à regarder la mort en face, que ces troubles de vue qu'on prend à regarder fixement le soleil.

ISABELLE

Il y a deux soleils. Le sombre n'est pas pour moi le moins tiède ni le moins nécessaire.

LE CONTRÔLEUR

Prenez garde, Isabelle, prenez garde!

ISABELLE

A qui? A quoi?

LE CONTRÔLEUR

Méfiez-vous des morts ou des prétendus morts qui rôdent autour d'une jeune fille. Leurs intentions ne sont pas pures.

ISABELLE

Celles des morts le sont davantage?

LE CONTRÔLEUR

Leur jeu est bien connu. Ils s'occupent à séparer un être de la masse des humains. Ils l'attirent par la pitié ou la curiosité loin du troupeau qui se plaît aux robes et aux cravates, qui aime le pain et le vin et ils l'absorbent. Votre spectre ne fait point autre chose.

ISABELLE

N'insistez pas, cher monsieur le Contrôleur. Songez que de cette foule innombrable des morts, mon spectre comme vous dites, est le seul qui ait pu parvenir jusqu'à moi. Et soyez sûr qu'il n'est pas le seul que ce voyage ait tenté... Souvent, je sens que de l'océan des ombres se forment des courants, s'orientent des houles vers cette jeune femme qui croit en elles. Je sens le désir de chacune de se séparer des autres, de retrouver un corps, une apparence. Je sens qu'elles m'ont comprise, qu'elles me signalent aux myriades d'autres. Toutes savent que je ne les accueillerai pas avec des claquements de dents et des adjurations, mais humainement, simplement... Ce que les morts veulent, dans leur visite, c'est qu'on leur dise : « Reposez-« vous de votre éternel repos! Asseyez-vous! Je « fais comme si vous n'étiez pas là... » C'est voir un morceau de pain, entendre un serin en cage, c'est effleurer ce modèle de suprême activité que doit être pour eux un fonctionnaire en retraite, c'est respirer sur une jeune fille le plus nouveau des parfums, obtenus par les vivants avec des essences et des fleurs... « Allons voir « Isabelle, disent là-bas des milliards de silences, « elle nous attend... Allons-y... Nous aurons peut-« être la chance de voir aussi l'agent voyer, le « receveur... » Mais la force leur manque pour un tel voyage et, à portée de voix de la recette buraliste, mais sans voix, à vue à œil nu de la sous-préfecture, mais aveugles, ils hésitent et une lame de fond les disperse ou les remporte... Seul, mon spectre, par un prodige de force ou de volonté, a pu surnager sur le gouffre. J'aurais le cœur de l'y rejeter?

LE CONTRÔLEUR

Isabelle! Ne touchez pas aux bornes de la vie humaine, à ses limites. Sa grandeur est d'être brève et pleine entre deux abîmes. Son miracle est d'être colorée, saine, ferme entre des infinis et des vides. Introduisez en elle une goutte, une seule goutte du sang des ombres, et votre geste est aussi plein de conséquences que le sera celui de cet habitant de notre système solaire qui, un beau jour, par une malencontreuse expérience, par la synthèse d'un métal plus lourd, ou par une façon inédite de rire ou d'éternuer, faussera notre gravitation. Le moindre jeu dans la raison humaine, et elle est perdue Chaque humain doit n'être qu'un garde à ses portes.

Vous trahissez peut-être en ouvrant, en cédant à la poussée du premier mort venu.

ISABELLE

Un seul a forcé. Des milliards poussaient.

LE CONTRÔLEUR

Justement, des milliards peuvent suivre.

ISABELLE

Où serait le mal? N'insistez pas, cher monsieur le Contrôleur. Vous m'avez demandé mon avis sur l'homme qui voudra, un jour, me prendre dans ses bras. Je vous l'ai dit. Si c'est pour me prendre à tout ce qui m'appelle, si c'est pour fermer mes paroles par sa bouche, mes regards par ses yeux, pour aider tous ces autres couples dont on ne voit que le double dos à reformer le misérable blocus humain, qu'il n'approche pas. Si vous le connaissez, prévenez-le. Je reverrai le spectre. C'est à choisir... Adieu : il m'attend!

LE CONTRÔLEUR

Il vous attend? Je vous en supplie, mademoiselle Isabelle! En tout cas, ne le revoyez pas aujourd'hui.

ISABELLE

Je me sauve.

LE CONTRÔLEUR

Je vous en conjure. Pour son bien, n'y allez pas. L'Inspecteur vous tend à tous deux un piège! Ne le revoyez pas!

ISABELLE

Je le reverrai, et aujourd'hui même, et à l'instant même. Et je vous demande en effet de partir, cher monsieur le Contrôleur, car l'heure approche.

LE CONTRÔLEUR

Eh bien, je reste. Je le verrai aussi.

ISABELLE

J'en doute. Il me décevrait fort s'il était visible pour d'autres que pour moi.

LE CONTRÔLEUR

Je le verrai, je le toucherai, je vous prouverai son imposture.

ISABELLE

Vous ne le verrez jamais.

LE CONTRÔLEUR

Pourquoi?

ISABELLE

Pourquoi? Parce qu'il est déjà là!

LE CONTRÔLEUR

Où, là?

ISABELLE

Là, près de nous : il nous regarde en souriant

LE CONTRÔLEUR

Ne plaisantez pas! L'heure est grave! L'inspecteur est en train de poster des hommes armés, pour le prendre mort ou vif.

ISABELLE

Un spectre, mort ou vif, c'est assez drôle... Oh! voici la lune! Et la vraie, monsieur le Contrôleur! Voyez tous ces poinçons!

Elle disparaît.

SCÈNE QUATRIÈME

LE CONTRÔLEUR. L'INSPECTEUR.
LE MAIRE. LE DROGUISTE...
Puis les BOURREAUX.

L'INSPECTEUR

Eh bien, mon cher Contrôleur? Votre mine

n'indique pas que vous ayez réussi dans votre entreprise?

LE CONTRÔLEUR

J'aurai plus de chance demain.

L'INSPECTEUR

C'est cela, demain! Pour aujourd'hui faites-moi le plaisir de rassembler vos élèves qui vagabondent dans la forêt et vont s'y perdre avec la nuit.

Le Contrôleur sort.

L'INSPECTEUR fait signe aux deux bourreaux qui sont dans la coulisse.

A nous deux, mes gaillards. Toi, tu prétends que tu es l'ancien bourreau?

LE PREMIER BOURREAU

Je le suis!

LE DROGUISTE

Alors, celui-là, quel est-il?

LE DEUXIÈME BOURREAU

Moi? C'est moi l'ancien bourreau!

L'INSPECTEUR

L'un de vous deux ment. L'un de vous deux est un imposteur qui veut toucher la prime de cinq cents francs.

Les deux bourreaux protestent en même temps.

Vos papiers. Ah! je tiens le faux. Tes papiers te trahissent, mon brave. Tu es l'ancien basson du casino d'Enghien?

LE PREMIER BOURREAU

Vous pensez bien que la Sûreté n'indique pas notre vrai titre sur nos feuilles. Elle imagine, pour nous éviter les ennuis, une profession inoffensive, de préférence dans la musique.

LE DEUXIÈME BOURREAU

C'est exact. Je suis déclaré comme petite flûte.

L'INSPECTEUR

Montrez ce que vous avez dans vos poches... Monsieur le Maire, essayons de deviner quel est le bourreau d'après ces indices?

LE MAIRE

Celui-ci a un tire-bouchon prime, une vieille coquille Saint-Jacques et deux cure-dents.

L'INSPECTEUR

Tout à fait normal!

LE DROGUISTE

Celui-là a un bout de crayon encre, deux dragées, et un peigne de femme.

L'INSPECTEUR

C'est à peu près ce que l'on trouve dans les

poches de tous ceux auxquels on les fait vider à l'improviste.

LE MAIRE

Il me semble pourtant que ce devrait être un jeu de distinguer un bourreau d'un paisible citoyen.

L'INSPECTEUR

Essayez vous-même!

LE DROGUISTE

Il paraît que le poil des chiens se dresse devant le bourreau. Attrapons quelque chien de berger!

LE CONTRÔLEUR

Le temps nous manque! Posez-leur plutôt quelques questions sur leur métier. Les examens sont votre fait.

L'INSPECTEUR

Va pour l'examen des bourreaux... Je le préfère encore à celui des petites filles... Toi, de quel bois est la guillotine?

LE PREMIER BOURREAU

Du bois de la croix chrétienne, de chêne, excepté le cadre de la glissière...

LE DEUXIÈME BOURREAU

Qui est du bois de la croix hindoue, du bois de tech...

L'INSPECTEUR

Toi, qu'a dit Mme du Barry en montant sur l'échafaud?

LE PREMIER BOURREAU

Elle a dit : « Encore un petit moment, mon-
« sieur le Bourreau, encore un petit moment... »

L'INSPECTEUR

A ton tour! Qui a dit au bourreau : « Prends
« garde à ma barbe, bourreau. J'entends qu'elle
« reste intacte. Car je suis condamné à avoir le
« cou tranché, non la barbe. »

LE DEUXIÈME BOURREAU

Thomas More ou Morus, en l'année 1535.

L'INSPECTEUR

Je n'arriverai pas à les prendre! Toi, qu'est-ce que l'ordonnance de janvier 1847?

LE PREMIER BOURREAU

C'est l'ordonnance Dunoyer de Segonzac par laquelle il est rappelé aux condamnés à mort qu'une exécution est un événement sérieux.

LE DEUXIÈME BOURREAU

Et interdit de rire ou de plaisanter sur l'estrade pour provoquer la gaieté dans le public.

L'INSPECTEUR

Toi, quelle est la chanson du bourreau?

LE PREMIER BOURREAU

Laquelle, celle du bourreau coquet?

LE DEUXIÈME BOURREAU

Celle de la femme bourreau?

L'INSPECTEUR

Celle du bourreau coquet. Tu la sais?

LE DEUXIÈME BOURREAU

Nous ne savons que cela!

LE PREMIER BOURREAU

CHANSON DU BOURREAU COQUET

Sur le carrefour du marché
Lorsque je guillotine
Une aurore fleur de pêcher
M'oint de sa brillantine.

LE DEUXIÈME BOURREAU

Pas d'Houbigant, pas de Guerlain
Dans mon eau de toilette!
Quelque condamné sans entrain
Dirait que je l'entête!

LE PREMIER BOURREAU

Mais qu'Aurore fleur de pêcher

LE DEUXIÈME BOURREAU

De rose mes mains teigne

LE PREMIER BOURREAU

Mary Stuart me l'a reproché

LE DEUXIÈME BOURREAU

Ni Ravachol la teigne!

L'INSPECTEUR

Et au diable avec l'examen. Puisque vous vous obstinez à être deux, vous vous partagerez la prime. Cela vous va? (*Approbation.*) Vous avez vos armes? (*Affirmation.*) Des pistolets? Excellent! Préparez-les et dissimulez-vous derrière ce taillis.

LE PREMIER BOURREAU

Il n'y a pas à attendre trop longtemps? Passé minuit, si je veille, je vomis.

L'INSPECTEUR

Tout sera terminé dans un quart d'heure... Par ce chemin va venir une jeune fille...

LE DEUXIÈME BOURREAU

Salut au seul vrai bourreau, à l'amour!

L'INSPECTEUR

En face du bosquet, surgira aussitôt un jeune homme...

LE PREMIER BOURREAU

Salut au seul vrai condamné, à l'amant!

L'INSPECTEUR

Laissez-les parler cinq minutes. Puis convenez d'un signal pour tirer sur lui. C'est un dangereux assassin. Le gouvernement vous y autorise.

LE DEUXIÈME BOURREAU

Quand il prononcera par exemple la phrase : Obélisque et Pyramides?

L'INSPECTEUR

Pourquoi?

LE DEUXIÈME BOURREAU

Ce sont des mots qui s'entendent bien. Avec mon aide, pour nos signaux, c'était les mots convenus.

L'INSPECTEUR

Il peut n'avoir aucune raison de prononcer avant quelques années les mots Obélisque et Pyramides! Mais il est un mot qu'aime ce genre de personnages et qui revient souvent dans sa conversation.

LE MAIRE

Lequel?

L'INSPECTEUR

Le mot : vivant!

LE PREMIER BOURREAU

Entendu, dès qu'il prononcera le mot vivant.

LE DEUXIÈME BOURREAU

Vivant!

LE DROGUISTE

Mettez-les en garde, monsieur l'Inspecteur.

L'INSPECTEUR

J'ai en effet à vous mettre en garde. Par une dernière question. Qui fut Axel Petersen, mes amis?

LE PREMIER BOURREAU

Ce fut le bourreau boucher de Göteborg.

LE DEUXIÈME BOURREAU

Qui guillotina bel et bien un spectre.

L'INSPECTEUR

Vous voilà prévenus... Ne perdons plus de temps. Mettons-nous à la recherche d'Isabelle. Elle nous guidera sûrement à lui.

Rires du Droguiste.

L'INSPECTEUR

Quant à vous, Droguiste, au travail vous aussi!

LE DROGUISTE

Que puis-je faire pour vous?

L'INSPECTEUR

S'il est vrai que votre spécialité consiste en

ce bas monde, par une phrase ou par un geste à changer le diapason de l'atmosphère et à rendre naturels les événements les plus inattendus, au travail! Vous pouvez y aller d'un bon bémol ou d'un bon dièse!

LE DROGUISTE

Comptez sur moi.

L'Inspecteur et les bourreaux sortent.

SCÈNE CINQUIÈME

LE MAIRE. LE DROGUISTE.

LE MAIRE

Vous souriez en un pareil moment, Droguiste?

LE DROGUISTE

C'est que je viens de les retrouver, cher Contrôleur.

LE MAIRE

Qu'avez-vous retrouvé?

LE DROGUISTE

Mes diapasons!

LE MAIRE

Il s'agit bien de diapasons. Vous venez d'entendre, il s'agit de meurtre.

LE DROGUISTE

Regardez-les. Je préfère encore ce modèle dans lequel on souffle, ne soufflez pas encore mon ami, et qu'on prendrait pour la flûte de Pan, la vraie, celle d'une note unique, à ce second de métal qui ne ressemble qu'à la lyre et qu'à l'aimant. Ne le prenez pas ainsi, cher ami, vous le tenez comme un fer à friser.

LE MAIRE

Cela m'étonne. Je n'ai jamais tenu de fer à friser. La vie d'un homme est en jeu, Droguiste, et vous plaisantez!

LE DROGUISTE

Je les croyais perdus et je les avais sur moi. Si deux pièces d'un sou s'étaient égarées dans la doublure de ma poche, j'aurais tinté comme une mule avec ses sonnailles, et toute la musique du monde s'y cachait en silence. Nous voici sauvés!

LE MAIRE

Vous comptez sur ces diapasons pour protéger Isabelle?

LE DROGUISTE

Mon cher Maire, croyez-vous qu'il soit vraiment nécessaire de protéger Isabelle? La rage de l'Inspecteur contre elle ne vous rappelle rien?

LE MAIRE

Si, celle de ces insectes de proie en captivité qui veulent se dévorer à travers une cloison de vitre.

LE DROGUISTE

Vous l'avez dit. Tous deux se meuvent dans des réalités trop différentes pour que l'un puisse nuire à l'autre. Ils ne sont pas séparés seulement par du verre. Ils vivent dans deux registres complètement différents de la vie, où ce qui est spectre pour l'un est chair pour l'autre, et inversement. Ce que l'on peut seulement craindre, c'est que, par son agitation sans raison et sa voix discordante, l'Inspecteur ait laissé ici assez de dissonances pour troubler, quand elle arrivera, l'atmosphère d'Isabelle. Il ne faut pas que toute cette nature, dont elle tire la vérité intime, résonne tout d'un coup faux sous ses doigts. Mais le danger n'est pas très grand.

LE MAIRE

Je vous comprends, il suffit d'un accordeur.

LE DROGUISTE

D'un diapason...

LE MAIRE

Et aussi d'une nature docile.

LE DROGUISTE

Ne vous préoccupez pas de cela. La nature adore que ce soit de cet être qui rend en général en marchant et en parlant un son si faux, de l'homme, que parte l'harmonie suprême.

LE MAIRE

Vous croyez vraiment que je peux partir, qu'Isabelle ne risque rien?

LE DROGUISTE

Mon diapason vous en répond.

LE MAIRE

Je vais les surveiller quand même.

Il sort.

LE DROGUISTE, seul.

Sur une note juste, l'homme est plus en sécurité que sur un navire de haut bord.

Le Droguiste souffle dans son diapason. La nature s'ordonne d'après sa note et résonne tout entière pendant qu'il s'écarte lui-même.

SCÈNE SIXIÈME

LE SPECTRE. ISABELLE.

LE SPECTRE

Vous m'attendiez?

ISABELLE

Ne vous excusez pas. Moi aussi, si j'étais spectre, je m'attarderais dans ce crépuscule et ces vallons où je n'ai pu jusqu'ici mener qu'un corps opaque. Buissons, ruisseaux, tout me retiendrait de ce qui ne m'arrêterait plus. Je ne serais pas encore là si je pouvais, comme vous, envelopper de mon ombre tout ce que je ne peux que toucher ou que voir, et me donner pour squelette, selon mon humeur, un oiseau immobile sur sa branche, ou un enfant, ou, de biais, un églantier avec ses fleurs. Contenir, c'est la seule façon au monde d'approcher... Mais ce que je vous reproche, c'est de revenir ce soir encore seul, toujours seul. Aucun des vôtres n'a pu encore être atteint par vous, se joindre à vous?

LE SPECTRE

Aucun.

ISABELLE

Nous avions pensé hier, après tous nos échecs, que ce qui avait le plus de chance de les alerter, de les émouvoir, d'éveiller ce qui peut être les nerfs d'une ombre, d'un brouillard, ce devait être une espèce de long cri, de longue plainte, uniforme, répétée longuement. Comme ce cri vrai ou rêvé de locomotive qui nous éveille parfois à l'aube entre les vivants. Ou ce cri de sirène des paquebots la nuit, dans des estuaires dont les molles méduses elles-mêmes sont atteintes. Vous l'avez poussé? Vous avez employé votre veille à le pousser?

LE SPECTRE

Oui.

ISABELLE

Vous-même? Seul? Il ne s'est pas joint à votre voix, peu à peu, des milliers de plaintes semblables...

LE SPECTRE

Je me suis heurté au sommeil des morts.

ISABELLE

Ils dorment?

LE SPECTRE

Est-ce dormir? Le plus souvent, là où ils s'entassent, règne un frémissement. Une occupation les anime, si intense, qu'il pourrait parfois en jaillir un reflet ou un son. Les nouveaux qui arrivent en ces heures tombent dans une espèce de vibration heureuse sur laquelle s'apaise le dernier reflux de leur vie. Le doux balancement de la terre pour toujours les agite. Mais parfois, au contraire, toute leur masse se prend, est prise comme une glace, gagnée par un sommeil d'hivernage où les arrivants morts là-haut sombrent avec une lueur, car le sommeil des vivants est éclat et soleil.

ISABELLE

Et ils étaient ainsi hier? Et cela durera longtemps?

LE SPECTRE

Des siècles... des secondes...

ISABELLE

Et il n'est à espérer aucun secours?

LE SPECTRE

D'eux-mêmes, j'en doute.

ISABELLE

Ne dites pas cela. Parmi ceux qu'a pris le sort autour de moi, il en est que j'ai senti dès la première heure pour toujours disparus, rayés désormais de toute vie et de toute mort. Je les ai lâchés sur le néant comme une pierre. Mais il en est d'autres que j'ai donnés à la mort comme à une mission, à une tentative, dont la mort m'a paru au contraire un accès de confiance. L'atmosphère du voyage et du continent inconnu flottait autour du cimetière. On n'était pas tenté de leur dire adieu par des paroles, mais par des gestes. Tout l'après-midi, je les sentais occupés à découvrir un nouveau climat, une nouvelle flore. Il faisait soleil, et je les voyais là-bas soudain touchés par leur nouveau soleil. Il pleuvait, et eux recevaient les premières gouttes de la pluie infernale. Vous n'allez pas me faire croire que ceux-là aussi, oublient ou déchoient une fois arrivés?

LE SPECTRE

Ils ne sont pas arrivés, je ne les ai pas vus.

ISABELLE

Mais vous-même, vous renoncez? Cela suffit à vos aspirations, à vos désirs, d'errer en spectre au-dessus d'une petite ville?

LE SPECTRE

Ils ont parfois leurs somnambules. Sans doute j'en suis un.

ISABELLE

Ne croyez pas cela. Vous, je vous ai attiré, je vous ai pris au piège.

LE SPECTRE

Quel piège?

ISABELLE

J'ai chez moi un piège pour attirer les morts.

LE SPECTRE

Vous êtes une sorcière?

ISABELLE

Ma sorcellerie est si naturelle. Quand j'imaginais ce à quoi peuvent penser les morts, je ne leur prêtais pas des souvenirs, des visions, mais seulement la conscience de miroitements, de fragments de lueur posées sur un angle de cheminée, sur un nez de chat, sur une feuille d'arum, de minuscules épaves colorées surnageant sur leur déluge...

LE SPECTRE

Alors?

ISABELLE

Alors, toute ma chambre est en apparence une chambre pour vivants, pour petite vivante provinciale. Mais si l'on y regarde de près, on s'aperçoit que tout est calculé pour que cette marque de lumière sur des objets familiers, sur un ventre de potiche, un bouton de tiroir, soit entretenue sans arrêt, le jour par le soleil ou le feu, la nuit par la lampe ou la lune. C'est là mon piège, et je n'ai pas été surprise le soir où j'ai vu votre visage à ma fenêtre. Vous regardiez le reflet de la flamme sur le montant du pare-étincelles, la lune sur l'écaille du réveil, vous regardiez le diamant des ombres : vous étiez pris...

LE SPECTRE

J'étais pris

ISABELLE

La question est seulement de savoir ce qui vous a retenu.

LE SPECTRE

Ce qui m'a retenu? Votre voix, d'abord. Ce bavardage de votre voix grâce auquel chaque soir dans le crépuscule il y a maintenant pour les ombres ce qui correspond pour les hommes à l'alouette dans le soleil. Mais surtout cette confiance, si généreuse, que jamais l'idée même ne vous a effleurée que je peux vous avoir trompée et que je suis...

ISABELLE

Et que vous êtes?

LE SPECTRE

Et que je suis vivant!

On entend deux coups de feu. Le Spectre s'affaisse à terre.

SCÈNE SEPTIÈME

ISABELLE. L'INSPECTEUR.
LE DROGUISTE. LE MAIRE.
LES BOURREAUX, qui surgissent de divers côtés, puis le SPECTRE.

LE MAIRE

Qui a tiré?... Qui est là, à terre?

L'INSPECTEUR

Vous le voyez : un faux spectre, un vrai mort.

LE DROGUISTE

Qu'avez-vous fait, misérables!

L'INSPECTEUR

Remerciez-nous. Nous avons libéré Isabelle de sa folie, la ville de sa hantise, et le département d'un assassin.

LE DROGUISTE

Personne ne croyait sérieusement au spectre, Inspecteur. Qui êtes-vous donc pour n'avoir compris qu'une jeune fille a le droit de s'élever au-dessus de sa vie quotidienne et de donner un peu de jeu à sa raison!

LE MAIRE

Venez, ma petite Isabelle. Ce pauvre garçon est bien puni de la comédie qu'il vous jouait.

LE PREMIER BOURREAU

Son cœur ne bat plus.

L'INSPECTEUR

Parfait. Rien d'inquiétant dans un mort comme un cœur qui bat.

LE DROGUISTE

Qu'il est beau! Quel beau cadeau à Dieu qu'un beau cadavre. Vous n'avez pas honte devant lui d'avoir vu juste, Inspecteur... (*Il s'agenouille.*) Pardon, Isabelle. Pardon, beau cadavre!...

L'INSPECTEUR

Vous êtes fou? Pardon de quoi?

LE DROGUISTE

De ce que le vulgaire tombe toujours juste, de ce que les yeux myopes seuls voient clair, de ce qu'il y a des cadavres et pas de spectres.

Face aux Bourreaux, identique au corps étendu, un spectre monte. Tous les assistants l'aperçoivent l'un après l'autre. Isabelle et le Maire se sont arrêtés dans leur départ. Seul, le Droguiste incliné ne voit rien.

LE DROGUISTE

De ce que le monde n'est pas digne de vous, de ce qu'il n'offre avec générosité que sa cruauté et sa bêtise : de ce que l'Inspecteur a raison.

Le spectre est à son apogée.

UN BOURREAU

Monsieur l'Inspecteur...

L'INSPECTEUR

Droguiste, j'ai la berlue? Il n'y a personne devant nous?

Le Droguiste lève la tête.

LE DROGUISTE

Si.

LE MAIRE

Si.

L'INSPECTEUR

Un jeune sapin, sans doute, que le vent remue, et que notre émotion travestit.

LE MAIRE

Non. Lui.

LES BOURREAUX, ensemble.

Il avance.

L'INSPECTEUR

Calmez-vous, mes enfants. C'est un phénomène très fréquent. C'est le mirage. C'est tout simplement le mirage. Droguiste, le voyez-vous normal ou les pieds en l'air?

LE DROGUISTE

Le front haut.

L'INSPECTEUR

Alors, c'est un halo. C'est le halo bien connu de Chevreul. Sa composition est plus instable encore que celle de l'eau. Le moindre geste va le dissiper.

Il gesticule. Le spectre ne disparaît pas.

L'INSPECTEUR

Cette fille insensée peut être satisfaite. L'Hallucination collective a gagné jusqu'aux fonctionnaires départementaux.

LE SPECTRE

A demain, Isabelle!

L'INSPECTEUR

Et elle se double de folie auditive! Que raconte-t-il avec son verre de sang?

LE PREMIER BOURREAU

Il ne parle pas de sang. Il parle de guillotine.

LE SPECTRE

A demain, chez toi, à six heures. Je viendrai. Avec eux tous, eux tous...

L'INSPECTEUR

Une embolie! Où prend-il que je vais avoir une embolie?

LE DEUXIÈME BOURREAU

Moi une amputation?

L'INSPECTEUR

Vous m'emmenez, monsieur le Maire?

LE MAIRE

Partons, Isabelle. La nuit tombe, et tout est fini!

Tous sortent.

LE SPECTRE

Oui, demain tout commence.

SCÈNE HUITIÈME

LE DROGUISTE. LE CONTRÔLEUR. LES FILLETTES.
(On voit par intervalles le Spectre.)

Le Droguiste s'apprête à partir quand on entend les voix des petites filles et elles entrent, suivies du Contrôleur.

LE CONTRÔLEUR

Il manque Luce, naturellement. Luce!

LES FILLETTES

Luce! Luce!

Luce apparaît.

LE CONTRÔLEUR

Pourquoi t'attardes-tu?

LUCE

Parce que je cherchais des vers luisants avec ma lampe électrique.

LE CONTRÔLEUR

Tu mens. La seule façon de ne pas voir la lueur des vers luisants c'est de les éclairer.

LUCE

Parce que j'avais perdu ma jarretière.

LE CONTRÔLEUR

Regarde à ton lance-pierres. Tu la retrouveras.

LUCE

Parce que...

LE CONTRÔLEUR

Parce que quoi encore? Comment, cher Droguiste, vous m'attendiez?

LE DROGUISTE

Je vous attendais.

LE CONTRÔLEUR

Pour m'apprendre quelque malheur? Nous avons entendu un coup de feu.

LE DROGUISTE

Pour vous dire que votre heure est proche.

LE CONTRÔLEUR

Laquelle de mes heures? J'en ai de toute espèce.

LE DROGUISTE

L'heure où vous pourrez combattre votre rival devant celle que vous aimez.

LE CONTRÔLEUR

J'aime quelqu'un?

LES FILLETTES

Mlle Isabelle! Mlle Isabelle!

LE CONTRÔLEUR

Et j'ai un rival!

LES FILLETTES

Le spectre! Le spectre!

Le Spectre est apparu à nouveau derrière eux.

LE DROGUISTE

Passez devant, mes enfants... (*Prenant le bras du Contrôleur et sortant avec lui.*) Ecoutez-moi bien, mon cher Contrôleur. Je crains que vous ne vous exagériez la complication de toute cette intrigue. Ce qui se passe ici se passe chaque jour dans une des trente-huit mille communes de France... Vous savez ce qu'est une jeune fille?...

LE CONTRÔLEUR

Je sais, oui, sans savoir...

Ils sortent en devisant. Il n'y a plus, sur la scène, que Luce.

LUCE, achevant lentement sa phrase.

Parce que j'aime rester seule, le soir, dans les forêts.

LA VOIX DU CONTRÔLEUR

Luce!

LUCE

J'ai perdu mon béret!

En lançant son béret en l'air, elle aperçoit le Spectre. Elle s'amuse à mimer son balancement, les bras tombants, les jambes en laine.

LA VOIX DU CONTRÔLEUR

Tu l'as, ton béret?

Luce a encore lancé très haut, très haut, son béret. Elle le rattrape.

LUCE

Je l'ai! Je l'ai!

Elle fait un pied de nez au Spectre et disparaît.

RIDEAU

ACTE TROISIÈME

La chambre d'Isabelle. Un balcon à deux fenêtres d'où l'on voit la place de la petite ville, sur laquelle donne aussi une porte fermée. La philharmonique répète dans un hall du voisinage pendant toute la durée de l'acte.

SCÈNE PREMIÈRE

LE MAIRE. L'INSPECTEUR. LES PETITES FILLES.

Une porte du fond s'ouvre. L'Inspecteur, le Maire, les petites filles entrent les uns après les autres, sur la pointe des pieds.

LE MAIRE

Mais c'est de l'effraction!

L'INSPECTEUR

Pensez-vous pouvoir, à notre âge, pénétrer dans la chambre ou le cœur d'une jeune fille autrement que par effraction? Quelle heure est-il?

LE MAIRE

Au soleil, cinq heures et demie.

L'INSPECTEUR

Je doute que les spectres prennent leur heure au soleil.

LE MAIRE

S'ils la prennent à l'Observatoire, il est cinq heures trente-huit.

L'INSPECTEUR

Reste donc vingt-deux minutes, puisqu'il est annoncé pour six heures. Nous avons tout le temps d'organiser notre tranchée.

LE MAIRE

Des tranchées, maintenant?

L'INSPECTEUR

Vous échapperait-il, mon cher Maire, que nous avons l'honneur, dans ce moment d'angoisse où une invasion d'ordre tout spécial menace notre ville, d'occuper les tranchées les plus proches de celles de notre ennemi?

LE MAIRE

Des tombes?

L'INSPECTEUR

Il faut bien nous rendre à l'évidence. Après notre départ, hier, Cambronne et Crapuce ont recherché vainement le corps. Ils n'ont trouvé qu'un cercle de gazon brûlé à ras de terre. Hallucination ou spectre, l'action s'en continue aujourd'hui.

LE MAIRE

Mais que dira Isabelle de nous trouver ici?

L'INSPECTEUR

Isabelle ne nous trouvera pas. J'ai fait retarder d'une heure la pendule sur laquelle se règle toute la ville. D'ailleurs Gilberte va se poster dans l'embrasure de la fenêtre et nous donner l'alerte dès que quelqu'un paraîtra.

GILBERTE

Je vois les demoiselles Mangebois.

L'INSPECTEUR

Annonce tout, sauf les demoiselles Mangebois. Tu aurais trop à faire. Tu peux indiquer même les animaux, Gilberte. Tout est suspect aujourd'hui.

GILBERTE

Je vois le basset du pharmacien.

L'INSPECTEUR, s'asseyant.

Même observation pour le basset du pharmacien que pour les demoiselles Mangebois... Mon cher Maire, j'avais toujours regretté qu'à côté de l'exorcisme religieux, notre siècle de lumières n'eût pas institué encore une sorte de bénédiction laïque, qui interdît à la superstition le local une fois consacré. C'est à cette cérémonie que vous allez assister, et j'ai composé ce matin le texte d'une adjuration que je m'en vais vous lire.

GILBERTE

Est-ce que j'annonce aussi les arbres?

L'INSPECTEUR

Les arbres ne marchent pas, bécasse.

GILBERTE, se reculant peu à peu.

C'est ce que je croyais... Mais! C'est ce que je croyais... Mais... Mais...

L'INSPECTEUR

Remplace Gilberte, Viola. Elle est nerveuse.

LE MAIRE

On le serait à moins.

L'INSPECTEUR

Le seriez-vous, monsieur le Maire?

LE MAIRE

Je le suis, monsieur l'Inspecteur. D'autant plus que vous me faites manquer le tirage de notre loterie mensuelle, que jusqu'ici j'ai toujours présidé et auquel on procède en ce moment à la mairie.

L'INSPECTEUR

Ne vous occupez pas de la loterie. Le sort nous y réserve les mêmes avatars que dans la précédente. Rendez-moi bien plutôt compte de l'enquête dont je vous ai chargé auprès de vos concitoyens. Ne sommes-nous pas leurs représentants ici? Vous ont-ils donné leur mandat?

LE MAIRE

Nous l'avons.

L'INSPECTEUR

Vous leur avez bien dit le péril qui les menaçait par la faute d'Isabelle? Vous leur avez demandé ce qu'ils pensaient de voir à la suite de ce spectre, et comme il l'a annoncé lui-même hier au soir, tous leurs défunts de tous les âges revenir, vivre avec eux, et ne plus les quitter?

LE MAIRE

A la bourgeoisie seulement, y compris les fonctionnaires.

L'INSPECTEUR

Evidemment. La réponse de l'alimentation et du bâtiment était connue d'avance. Qu'a dit le président du Tribunal?

LE MAIRE

Qu'il détestait déjà la radio.

L'INSPECTEUR

Le notaire?

LE MAIRE

Qu'il connaissait déjà pas mal de morts pour les avoir connus vivants. Qu'ils n'étaient pas tous si recommandables.

L'INSPECTEUR

Le commandant des pompiers?

LE MAIRE

Qu'on commençait juste à être un peu chez soi, depuis la guerre...

L'INSPECTEUR

L'archiviste municipal?

LE MAIRE

Il craint pour la vérité qu'il a si péniblement

arrachée à ses archives. Les morts vont tout lui brouiller par leur mauvaise mémoire ou leurs mensonges.

L'INSPECTEUR

Bref, l'unanimité contre eux. Il n'est plus que votre avis qui me soit ignoré, monsieur le Maire?

LE MAIRE

Monsieur l'Inspecteur, ma seule passion est de collectionner les faïences provençales à sujets licencieux et les timbres-poste non dentelés des Antilles. Je consacre mes veillées à cette tâche, et je ne me vois pas très bien classant mes Vénus en terre écaillée ou préparant ma colle sous les regards conjugués de mes ascendants jusqu'à Eve. Des Mérovingiens, par exemple, n'est-ce pas, Daisy? J'aurais l'air complètement imbécile.

L'INSPECTEUR

Trop juste. Il faut des vivants pour apprécier la gravité des occupations des vivants...

LE MAIRE

Naturellement, dans les Antilles, je comprends les îles Bahamas...

VIOLA

Voici les maisons, monsieur l'Inspecteur!

L'INSPECTEUR

Les maisons ne marchent pas, idiote.

VIOLA

C'est ce que je croyais... Mais... C'est ce que je croyais... Mais...

L'INSPECTEUR

Daisy, remplace Viola; et en cercle au centre de la pièce, mes petites! Vous savez que vous avez à redire après moi le dernier mot de chaque phrase importante.

LES FILLETTES

Importante!

L'INSPECTEUR

Pas encore... Je commence. (*Il se place au milieu des fillettes et lit son invocation.*) Oui, c'est moi, Superstition. Qui, moi? Moi l'Humanité.

LES FILLETTES

L'humanité.

L'INSPECTEUR

Ce que c'est que l'humanité? Je suis ici justement pour vous le dire et par cette seule révélation vous barrer la route, à vous et aux vôtres... L'humanité est... est une entreprise surhumaine.

LES FILLETTES

Surhumaine!

L'INSPECTEUR

Qui a pour objet d'isoler l'homme de cette tourbe qu'est le Cosmos...

LES FILLETTES

Le Cosmos!

L'INSPECTEUR

Grâce à deux forces invincibles, qu'on nomme l'Administration et l'Instruction obligatoire.

LES FILLETTES

Obligatoire.

L'INSPECTEUR

L'Administration isole son corps en le dégageant de tous les lieux trop chargés en vertus primitives... Il faut la voir, aidée des conseils municipaux et du génie militaire...

LES FILLETTES

Du génie militaire...

L'INSPECTEUR

Lotissant les parcs, démolissant les cloîtres, érigeant des édicules d'ardoise et de faïence au pied de chaque cathédrale ou de chaque monument historique, faisant des égouts les vraies artères de la civilisation, combattant l'ombre sous toutes ses formes et surtout sous celle des arbres. Qui ne l'a pas vue abattant les allées de platanes centenaires sur les accotements des routes nationales n'a rien vu!

LES FILLETTES

N'a rien vu!

L'INSPECTEUR, toujours récitant.

Et l'Instruction obligatoire isole son âme, et chaque fois que l'Humanité se délivre d'une de ses peaux spirituelles, elle lui accorde, en prime, une découverte absolument correspondante. L'Humanité a cessé au XVIIIe siècle de croire aux feux et aux soufres de l'Enfer, et dans les dix ans, elle a découvert la vapeur et le gaz...

LES FILLETTES

Le gaz.

L'INSPECTEUR

Elle a cessé de croire aux esprits, et elle a inventé, la décade suivante, l'électricité...

LES FILLETTES

Cité!

L'INSPECTEUR

A la parole divine, et elle a inventé le télé...

LES FILLETTES

...phone!

L'INSPECTEUR

Qu'elle cesse de croire au principe divin même, et à l'Instruction obligatoire succédera tout naturellement la Clarté obligatoire, qui nettoiera la terre du rêve et de l'inconscient, rendra les mers transparentes jusqu'au fond des Kouriles, la parole des filles enfin sensée, et la nuit, monsieur le Spectre, semblable au soleil.

L'INSPECTEUR ET LES FILLETTES

Au soleil!

DAISY

Le voici, monsieur l'Inspecteur.

L'INSPECTEUR

Voici qui?

DAISY

Le Spectre!

L'INSPECTEUR

Que dit-elle? Qu'appelles-tu spectre, petite idiote!

DAISY

Il vient par ici

L'INSPECTEUR

Il va trouver à qui parler : c'est quelque complice d'Isabelle qui me prend pour un imbécile!

LES FILLETTES, *en chœur, très sérieuses.*

Un imbécile!

L'Inspecteur sort précipitamment.

LE MAIRE

Venez, mes enfants, venez!

DAISY

C'est une farce, monsieur le Maire. C'est Mlle Isabelle et le Droguiste qui sont entrés par le portail...

LE MAIRE

Raison de plus!

Tous disparaissent par la porte qui donne sur la place.

SCÈNE DEUXIÈME

ISABELLE. LE DROGUISTE.

ISABELLE

Merci, cher Droguiste, grâce à vous j'arrive à temps. Mais était-il bien nécessaire d'arriver à temps? Croyez-vous vraiment qu'il revienne?

LE DROGUISTE

Il viendra..., j'en suis sûr...

ISABELLE

Vous restez avec moi, n'est-ce pas?

LE DROGUISTE

Vous ne voulez pas le recevoir seule?

ISABELLE

Désire-t-il être reçu seul? Depuis hier, il a jugé bon de se rendre visible à d'autres. Il n'est plus le spectre d'Isabelle, mais celui de la ville. Vous avez aperçu toutes les vieilles aux fenêtres. Les demoiselles Mangebois tiennent conseil en permanence sur le parvis. Les bouches n'ont aujourd'hui qu'un sujet de conversation : notre secret. Les yeux ne se préparent qu'à voir un seul spectacle : le spectre. Notre liaison n'avait de sens que par son intimité. Pourquoi reviendrait-il?

LE DROGUISTE

Parce qu'il a besoin de vous.

ISABELLE

Pour demeurer sur cette terre?

LE DROGUISTE

Non, pour en disparaître.

ISABELLE

Vous êtes obscur.

LE DROGUISTE

Chère Isabelle, il n'y a pas deux espèces de damnations et pas deux espèces de spectres. Il y a seulement ceux qui, privés de la vie, ne trouvent pas le moyen de rejoindre les morts. De plus en plus, je crois que votre ami est de ceux-là.

ISABELLE

Il n'a pourtant rien de commun, de vulgaire. Vous-même le croyiez un poète.

LE DROGUISTE

Peut-être pour cela. Cette survivance qu'est la mort n'est pas ouverte d'office à ceux qui parlent bien ou pensent fort. Les gens croient que le talent, le génie, donnent droit à la mort. C'est bien plutôt le contraire. Ils sont une exaspération de la vie. Ils consument chez ceux qui les portent toute immortalité. Les poètes sont ceux qui se dévouent pour mourir tout entiers, pour sauvegarder l'existence future de la silencieuse sœur du poète, de l'humble servante du poète. Rappelez-vous celui qui est venu l'autre mois de Paris nous parler de son œuvre : quelle éloquence! Il rimait même dans sa prose sans le vouloir, comme un cheval qui forge; mais tout cela était périssable. Excepté un court moment où, pendant son discours même, il a été soudain distrait, il se souriait à soi-même. Il pensait sans doute à sa collection de cannes, à sa chatte buvant du lait trop chaud... C'était sa seule chance de rejoindre un jour les morts.

ISABELLE

Mais en quoi pourrais-je le guider, moi, une jeune fille?

LE DROGUISTE

Connaissez-vous une aventure de spectre sans jeune fille? C'est justement qu'il n'est pas d'autre âge qui mène naturellement à la mort. Seules, les jeunes filles pensent à elle sans l'amoindrir ou sans l'amplifier. Seules, elles l'approchent, non en pensée et en théorie, mais physiquement, mais par leur robe ou par leur chair. Il y a des pas de vous qui mènent à la mort et que vous entremêlez dans vos danses mêmes. Il y a dans vos conversations les plus gaies des phrases du vocabulaire infernal. Un jour, en sa présence, le hasard vous fera dire le mot qui ouvrira pour lui la porte du souterrain, à moins que vous ne l'y ameniez par un de ces élans ou de ces abandons du genre de ceux qui conduisent les vivants à la passion ou à l'enthousiasme? Croyez-moi, il n'est plus loin... Adieu.

ISABELLE

Restez, je vous en supplie. Il n'est pas pour

moi de visite que votre présence ne rende plus précieuse.

LE DROGUISTE

Si vous voulez. Quelle heure est-il?

ISABELLE

Il est l'heure.

Tous deux vont à la fenêtre. L'horloge sonne. On frappe à la porte un coup. Ils ne bougent pas. Un second. Le Droguiste seul se retourne.

LE DROGUISTE

Oh! c'est le Contrôleur! Je vous laisse, Isabelle.

ISABELLE

Le Contrôleur?... C'est cela, cher Droguiste, à tout à l'heure!

SCÈNE TROISIÈME

ISABELLE. LE CONTRÔLEUR.

La porte s'ouvre doucement et donne passage au Contrôleur. Il est en jaquette. Il tient dans ses mains, qui sont gantées beurre frais, son melon et une canne à pomme d'or.

Isabelle s'est tournée vers lui.

LE CONTRÔLEUR

Pas un mot, mademoiselle! Je vous en supplie, pas un mot! Pour le moment, je ne vous vois pas, je ne vous entends pas. Je ne pourrais supporter à la fois ces deux voluptés, *primo* : être dans la chambre de Mlle Isabelle; *secundo* : y trouver Mlle Isabelle elle-même. Laissez-moi les goûter l'une après l'autre.

ISABELLE

Cher monsieur le Contrôleur...

LE CONTRÔLEUR

Vous n'êtes pas dans votre chambre, et moi j'y suis. J'y suis seul avec ces meubles et ces objets qui déjà m'ont fait tant de signes par la fenêtre ouverte, ce secrétaire qui reprend ici son nom, qui représente pour moi l'essence du secret — le pied droit est refait mais le coffre est bien intact —, cette gravure de Rousseau à Ermenonville — tu as mis tes enfants à l'Assistance publique, décevant Helvète, mais à moi tu souris — et ce porte-liqueurs où l'eau de coing impatiente attend l'heure du dimanche qui la portera à ses lèvres... Du vrai baccarat... Du vrai coing... Car tout est vrai, chez elle, et sans mélange.

ISABELLE

Monsieur le Contrôleur, je ne sais vraiment que penser!

LE CONTRÔLEUR

Car tout est vrai, chez Isabelle. Si les mauvais esprits la trouvent compliquée, c'est justement qu'elle est sincère... Il n'y a de simple que l'hypocrisie et la routine. Si elle voit les fantômes, c'est qu'elle est la seule aussi à voir les vivants. C'est qu'elle est dans le département la seule pure. C'est notre Parsifal.

ISABELLE

Puis-je vous dire que j'attends quelqu'un, monsieur le Contrôleur?

LE CONTRÔLEUR

Voilà, j'ai fini. Je voulais me payer une fois dans ma vie le luxe de me dire ce que je pensais d'Isabelle, de me le dire tout haut! On ne se parle plus assez tout haut. On a peur sans doute de savoir ce qu'on en pense. Eh bien, maintenant, je le sais.

ISABELLE

Moi aussi, et j'en suis touchée.

LE CONTRÔLEUR

Ah! vous voici, mademoiselle Isabelle?

ISABELLE

Soyons sérieux! Me voici.

LE CONTRÔLEUR

Tant pis, mademoiselle, tant pis! Il faut donc vous parler...

ISABELLE

Me parler de qui?

LE CONTRÔLEUR

De moi. De moi, simplement.

ISABELLE

Vous vous êtes fait très beau pour parler de vous, monsieur le Contrôleur.

LE CONTRÔLEUR

Ne raillez pas mon costume. Lui seul en ce moment me soutient. Ou plutôt l'idée de celui, de ceux que devrait habiller ce costume. Oui, au fait, ceux qui devraient être là sont justement ceux à qui appartiennent ces vêtements, mon grand-père dont voilà la canne, mon grand-oncle dont vous voyez la chaîne de montre, et mon père, qui jugea cette jaquette encore trop neuve pour l'emporter dans la tombe. Seul ce melon est à moi. Aussi il me gêne, surtout moralement. Permettez-moi de le déposer.

ISABELLE

Votre père? Votre grand-père? Que viennent-ils me demander?

LE CONTRÔLEUR

Vous ne le devinez pas... Votre main, made-moiselle Isabelle, ils ont l'honneur de vous demander votre main.

ISABELLE

Ma main?

LE CONTRÔLEUR

Ne me répondez pas, mademoiselle. Je demande votre main et non une réponse. Je vous demande de m'accorder, en ne me répondant qu'après-demain, le jour le plus heureux de ma vie, les vingt-quatre heures pendant lesquelles je me dirai qu'enfin vous savez tout, que vous n'avez pas encore dit non, que vous êtes émue, malgré tout, de savoir que quelqu'un ici-bas ne vit que par vous... Quelqu'un qui s'appelle Robert, car mon père vous eût dit mon prénom. Ce prénom-là du moins, j'en ai deux autres moins avouables. Quelqu'un qui est courageux, travailleur, honnête, modeste, car mon grand-père ne vous eût fait grâce d'aucune de mes vertus... Ou ne me répondez jamais, et laissez-moi fuir en me bouchant les oreilles.

ISABELLE

Non, non, restez, monsieur Robert... Mais je suis si surprise, et vous venez à un tel moment!

LE CONTRÔLEUR

J'ai choisi ce moment. Je l'ai choisi parce que je n'en suis pas indigne, parce qu'il m'est venu tout à coup à l'esprit que, plus heureux que ce spectre qui ne va vous apporter encore que confusion et angoisse, je pouvais le combattre devant vous, lui montrer son impuissance à vous aider, et vous offrir ensuite la seule route, le seul acheminement normal vers la mort et vers les morts...

ISABELLE

Voyons! Y en a-t-il d'autres que d'aller vers eux?

LE CONTRÔLEUR

Celui-là va à eux lentement, doucement, mais sûrement. Il nous y porte...

ISABELLE

Et quel est-il?

LE CONTRÔLEUR

La vie.

ISABELLE

La vie avec vous?

LE CONTRÔLEUR

Avec moi? Ne parlons pas de moi, mademoiselle... Je suis bien peu en cause. Non... la vie avec un fonctionnaire. Car c'est mon métier, dans cette affaire, qui importe... Vous ne me comprenez pas?

ISABELLE

Si fait, je vous comprends! Vous voulez dire que seul le fonctionnaire peut regarder la mort en face, en camarade; qu'il n'est pas comme le banquier, le négociant, le philosophe; qu'il n'a rien fait pour se dérober à elle ou pour la masquer?

LE CONTRÔLEUR

Voilà!

ISABELLE

La contradiction entre la vie et la mort, c'est l'agitation humaine qui la crée. Or, le fonctionnaire a travaillé, mais justement sans agitation...

LE CONTRÔLEUR

Oui, sans excès trop grave.

ISABELLE

Il a vécu, mais sans exploitation forcenée de sa personnalité...

LE CONTRÔLEUR

Trop forcenée, non.

ISABELLE

Et il a dédaigné les richesses, parce que son traitement lui arrive sans attente, sans effort spécial, comme si des arbres lui donnaient en fruits mensuels des pièces d'or.

LE CONTRÔLEUR

C'est cela même, en fruits mensuels sinon en pièces d'or. Et s'il n'a pas eu le luxe, il s'est épuré à tout ce que son métier comporte d'imagination.

ISABELLE

D'imagination? Figurez-vous que sur ce point j'avais des doutes. Sur ce point la vie avec un fonctionnaire m'effrayait un peu. Le métier de Contrôleur des Poids et Mesures comporte beaucoup d'imagination?

LE CONTRÔLEUR

En pouvez-vous douter?

ISABELLE

Donnez-moi un exemple.

LE CONTRÔLEUR

Mille, si vous voulez. Chaque soir, quand le soleil se couche et que je reviens de ma tournée, il me suffit d'habiller le paysage avec le vocabulaire des contrôleurs du Moyen Age, de compter soudain les routes en lieues, les arbres en pieds, les prés en arpents, jusqu'aux vers luisants en pouces, pour que les fumées et les brouillards montant des tours et des maisons fassent de notre ville une de ces bourgades que l'on pillait sous les guerres de Religion, et que je me sente l'âme d'un reître ou d'un lansquenet.

ISABELLE

Oh! je comprends!

LE CONTRÔLEUR

Et le ciel même, mademoiselle. La voûte céleste elle-même...

ISABELLE

Laissez-moi achever : il suffit que vous leur appliquiez, à ce ciel, à cette voûte, la nomenclature grecque ou moderne, que vous estimiez en drachmes ou en tonnes le poids des astres, en stades ou en mètres leur course, pour qu'ils deviennent à votre volonté le firmament de Périclès ou celui de Pasteur!

LE CONTRÔLEUR

Et c'est ainsi que le lyrisme de la vie de fonctionnaire n'a d'égal que son imprévu!

ISABELLE

Pour l'imprévu je vous assure que je ne vois pas très bien. Et c'est fâcheux, car c'est ce que j'adore par-dessus tout. Votre vie comporte un imprévu?

LE CONTRÔLEUR

Un imprévu de qualité rare, discrète, mais émouvante. Songez, mademoiselle Isabelle, que nous changeons tous les trois ans à peu près de résidence...

ISABELLE

Justement, c'est long, trois ans.

LE CONTRÔLEUR

Mais voici où intervient l'imprévu : dès le début de ces trois ans, l'administration prévoyante nous a donné les noms des deux villes entre lesquelles elle choisira notre prochain poste...

ISABELLE

Vous savez déjà dans quelle ville vous irez en nous quittant?

LE CONTRÔLEUR

Je sais et je ne sais pas. Je sais seulement que ce sera Gap ou Bressuire. L'une d'elles, hélas! m'échappera, mais j'aurai l'autre! Saisissez-vous la délicatesse et la volupté de cette incertitude?

ISABELLE

Oh! certes! Je saisis que pendant trois ans,

et au-dessus même de nos bruyères et de nos châtaigneraies, votre pensée va vous balancer sans arrêt entre Gap...

LE CONTRÔLEUR

C'est-à-dire les sapins, la neige, la promenade après le bureau au milieu des ouvrières qui ont passé leur journée à monter en broche l'étoile des Alpes...

ISABELLE

Et Bressuire...

LE CONTRÔLEUR

C'est-à-dire les herbages, c'est-à-dire — vous pensez si je sais déjà par cœur le Joanne! — la belle foire du 27 août, et quand septembre rougit jusqu'aux roseaux des anguillères dans l'eau du marais vendéen, le départ en victoria pour les courses au trot à l'angle des rues Duguesclin et Général-Picquart. Est-ce du prévu, tout cela? Entre votre méthode et la mienne, entre Gap, Bressuire et la mort immédiate, avouez, il n'y a pas à hésiter!

ISABELLE

J'ignorais tout cela. C'est merveilleux! Et à Gap, vous aurez ainsi trois ans à attendre entre deux autres villes?

LE CONTRÔLEUR

Oui, entre Vitry-le-François et Domfront...

ISABELLE

Entre la plaine et la colline...

LE CONTRÔLEUR

Entre le champagne nature et le cidre bouché...

ISABELLE

Entre la cathédrale Louis XIV et le donjon...

LE CONTRÔLEUR

Et ainsi de suite, par une série de balancements et de merveilleux carrefours où seront inclus, au hasard des contrées, la chasse aux coqs de bruyère ou la pêche à la mostelle, le jeu de boules ou les vendanges, les matches de ballon ou la représentation aux Arènes de *L'Aventurière* avec la Comédie-Française, j'arriverai un beau jour au sommet de la pyramide.

ISABELLE

A Paris?...

LE CONTRÔLEUR

C'est vous qui l'avez dit.

ISABELLE

A Paris!

LE CONTRÔLEUR

Car c'est là, par une contradiction inexplicable, le comble de l'imprévu des carrières de fonctionnaires. C'est qu'elles se terminent toutes à Paris. Et à Paris, mademoiselle, l'engourdissement n'est pas non plus à redouter, car selon que l'on m'affectera au premier ou au second district, j'aurai à osciller entre Belleville, sa prairie Saint-Gervais, son lac Saint-Fargeau, ou Vaugirard, avec ses puits artésiens.

ISABELLE

Quel beau voyage que votre vie! On en voit le sillage jusque dans vos yeux.

LE CONTRÔLEUR

Dans mes yeux? Je n'en suis pas fâché. On parle toujours des yeux des officiers de marine, mademoiselle Isabelle. C'est que les contribuables, en versant leurs impôts, ne regardent pas le regard du percepteur. C'est que les automobilistes, en déclarant leur gibier, ne plongent pas au fond des prunelles des douaniers. C'est que les plaideurs ne s'avisent jamais de prendre dans leurs mains la tête du président de la cour et de la tourner doucement, tendrement vers eux en pleine lumière. Car ils y verraient le reflet et l'écume d'un océan plus profond que tous les autres. la sagesse de la vie.

ISABELLE

C'est vrai. Je la vois dans les vôtres.

LE CONTRÔLEUR

Et que vous inspire-t-elle?

ISABELLE

De la confiance.

LE CONTRÔLEUR

Alors, je n'hésite plus!

Il se précipite vers la porte.

ISABELLE

Que faites-vous, monsieur le Contrôleur?

LE CONTRÔLEUR

Je verrouille cette porte. Je ferme cette fenêtre. Je baisse ce tablier de cheminée. Je calfeutre hermétiquement cette cloche à plongeurs qu'est une maison humaine. Voilà, chère Isabelle. L'au-delà est refoulé au-delà de votre chambre. Nous n'avons plus qu'à attendre patiemment que l'heure fatidique soit passée. Gardez-vous seulement de faire un souhait, d'exprimer un regret, car notre spectre ne manquerait pas d'y voir un appel, et se précipiterait!

ISABELLE

Notre pauvre spectre!

La porte verrouillée s'ouvre. Le Spectre paraît, déjà plus transparent et plus pâle.

SCÈNE QUATRIÈME

LE SPECTRE. ISABELLE.
LE CONTRÔLEUR.

LE SPECTRE

Je puis entrer?

LE CONTRÔLEUR

Non. Cette porte est même fermée à clef et au verrou. Il n'y paraît pas. Mais elle l'est.

LE SPECTRE

Je t'apporte la clef de l'énigme, Isabelle! Que cet homme me laisse seul avec toi.

LE CONTRÔLEUR

Je regrette. Impossible.

LE SPECTRE

Je parle à Isabelle.

LE CONTRÔLEUR

Mais c'est moi qui réponds. Je suis de garde auprès d'elle.

LE SPECTRE

Vous la gardez de quoi?

LE CONTRÔLEUR

Je ne le sais pas encore très bien moi-même. Je dois donc être d'autant plus sur l'œil.

LE SPECTRE

N'ayez aucune crainte. Je suis inoffensif.

LE CONTRÔLEUR

Celle qui vous envoie l'est peut-être moins.

LE SPECTRE

De qui voulez-vous parler? De la mort?

LE CONTRÔLEUR

Vous voyez!... Si elle se fait appeler ainsi dans son propre domaine, c'est qu'il n'y a décidément pas d'autre nom pour elle.

LE SPECTRE

Et vous croyez que votre présence suffirait à l'écarter.

LE CONTRÔLEUR

La preuve, c'est qu'elle n'est pas là.

LE SPECTRE

Qu'en savez-vous? Elle y est peut-être. Vous seul peut-être ne l'apercevez pas. Regardez le visage d'Isabelle : elle voit sûrement quelque chose d'étrange en ce moment.

LE CONTRÔLEUR

Peu importe. Il rôde toujours autour d'une femme des figures et des personnes cachées à son mari et à son fiancé. Mais si mari ou fiancé est là, rien à craindre.

LE SPECTRE

Tu m'as caché ton mariage, Isabelle? Un cadeau de noces de tous les morts réunis ne te tentait pas? Alors j'ai devant moi le fiancé d'Isabelle.

LE CONTRÔLEUR

Fiancé est trop dire. J'ai demandé sa main et elle n'a pas encore dit non. Je ne sais au juste comment on appelle ce lien.

LE SPECTRE

On l'appelle fragile.

LE CONTRÔLEUR

C'est le seul en tout cas qui attache Isabelle à la terre. Aussi rien ne me délogera d'ici tant que vous y serez.

LE SPECTRE

Et vous croyez que je ne saurai pas revenir en votre absence cette nuit ou demain.

LE CONTRÔLEUR

Je suis à peu près sûr que non. Si les forces invisibles qui nous assiègent prenaient sur soi d'attendre et de persévérer un quart d'heure de suite, depuis longtemps il ne resterait plus rien des hommes. Mais rien d'impatient comme l'éternité. Vous êtes revenu par l'effet d'un vieux reste de l'énergie ou de l'entêtement humain. Mais vous en avez pour quelques heures. Croyez-moi, retirez-vous! Si vous ne pouvez passer que par des portes fermées, je peux refermer celle-là.

LE SPECTRE

C'est ta volonté, Isabelle?

ISABELLE

Cher monsieur le Contrôleur, je vous en supplie. J'apprécie votre dévouement, votre amitié. Demain je vous écouterai. Mais laissez-moi cette minute, cette dernière minute

LE CONTRÔLEUR

Demain, vous me mépriseriez si je désertais ma consigne.

ISABELLE

Ne voyez-vous donc pas que ce visiteur m'apporte ce que j'ai passé mon enfance à désirer, le mot d'un secret!

LE CONTRÔLEUR

Je ne suis pas pour connaître les secrets. Un secret inexpliqué tient souvent en vous une place plus noble et plus aérée que son explication. C'est l'ampoule d'air chez les poissons. Nous nous dirigeons avec sûreté dans la vie en vertu de nos ignorances et non de nos révélations. Le mot de quel secret?

ISABELLE

Vous le savez. De la mort!

LE CONTRÔLEUR

La mort de qui, de quoi? Des volcans, des insectes?

ISABELLE

Des hommes.

LE CONTRÔLEUR

C'est très petit comme question. Vous vous plaisez à ces détails? Où voyez-vous, d'ailleurs, un secret là-dedans? Nous savons tous, dans les Poids et Mesures, ce que c'est que la mort, c'est un repos définitif. Se torturer à propos d'un repos définitif, c'est plutôt une inconséquence. Et qui vous dit que les morts aient ce secret? S'ils savent ce qu'est la mort aussi bien que les vivants ce qu'est la vie, je les félicite, ils sont bien renseignés... Je reste.

ISABELLE

Alors, que notre visiteur le dise devant vous! Il y consentira peut-être!

LE SPECTRE

Jamais. Je connais trop cette variété d'homme. Devant elle le secret le plus dense s'évapore et s'évente.

ISABELLE

Il peut se boucher les oreilles.

LE CONTRÔLEUR

Je regrette. Je ne peux justement pas. Mes doigts, même joints, ne sont pas suffisamment étanches. Si mes oreilles se fermaient par une membrane naturelle, comme mes yeux, oui. Mais ce n'est pas le cas...

LE SPECTRE

Tel est l'être en ciment armé, avec lequel le destin est obligé de faire des ombres!

LE CONTRÔLEUR

Rassurez-vous. Si j'ai une certitude, c'est au contraire celle de faire, quand mon tour sera venu, une ombre parfaite de contrôleur...

LE SPECTRE

Vraiment?

LE CONTRÔLEUR

Et d'être, comme dans mes changements de poste, indispensable au bout de quelques jours à mes nouveaux collègues.

LE SPECTRE

On peut savoir pourquoi?

LE CONTRÔLEUR

Parce que j'aurai été consciencieux. Parce que les morts exigent seulement de nous de n'être rejoints qu'après une vie consciencieuse. C'est de cela qu'ils nous demandent compte. — Comment, disent-ils, tu as eu une guerre magnifique, et tu n'en as pas épuisé les tourments et les joies, tu as eu une Exposition coloniale, et tu as négligé de visiter Angkor, et de t'asseoir sur le bassin d'eau de la Guadeloupe?... Moi, je ne craindrai aucun reproche. Que de détours j'aurai fait sur ma route, pour aller, en hommage aux spectateurs invisibles, caresser un chat sur sa fenêtre, ou soulever le masque d'un enfant au carnaval. Et, ici même, j'aurai vu Isabelle chaque jour des trois années passées dans le bourg d'Isabelle. J'aurai une fois, à minuit, effacé à la gomme et gratté au canif de malhonnêtes graffiti tracés sur la pierre de sa porte; j'aurai, un matin, à l'aube, remis d'aplomb le couvercle de son pot au lait, et un après-midi, poussé au fond de la boîte de la poste une lettre qu'elle y avait mal engagée; j'aurai dans la plus minime mesure adouci autour d'elle la malignité du destin... J'aurai droit à la mort!

ISABELLE

Cher monsieur Robert!

LE SPECTRE

Tu dis, Isabelle?

ISABELLE

Je ne dis rien.

LE SPECTRE

Pourquoi viens-tu de dire : cher monsieur Robert?

ISABELLE

Parce que je suis touchée par le dévouement de M. le Contrôleur. J'ai tort peut-être?

LE SPECTRE

Tu as raison, et je te remercie. J'allais commettre la plus grande des sottises. J'allais trahir pour une jeune fille. Par bonheur, elle a trahi avant moi!

ISABELLE

Qu'ai-je trahi?

LE SPECTRE

Et toutes, elles seront toujours ainsi! Et c'est là toute l'aventure des jeunes filles.

LE CONTRÔLEUR

Pourquoi mêler les jeunes filles à cette histoire?

LE SPECTRE

Assises dans les prairies, leur ombrelle ouverte, mais à côté d'elles, accoudées aux barrières des passages à niveau et souhaitant la bienvenue au voyageur par un geste d'adieu, ou sous leur lampe derrière la fenêtre, avec une ombre pour la rue et une pour la chambre, égales aux fleurs en été, égales en hiver à la pensée qu'on a des fleurs, elles se disposent si habilement parmi la foule des hommes, la généreuse dans la famille des avares, l'indomptable parmi des parents aveulis, que les divinités du monde les prennent, non pour l'humanité dans son enfance, mais pour la suprême floraison, pour l'aboutissement de cette race dont les vrais produits sont les vieillards. Mais soudain...

LE CONTRÔLEUR

C'est très simpliste.

LE SPECTRE

Mais soudain l'homme arrive. Alors toutes elles le contemplent. Il a retrouvé des recettes pour rehausser à leurs yeux sa dignité sur la terre. Il se tient debout sur les pattes de derrière, pour recevoir moins de pluie et accrocher des médailles sur sa poitrine. Elles frémissent devant lui d'une hypocrite admiration et d'une crainte que ne leur inspire même pas le tigre, dans l'ignorance où elles sont qu'à ce bipède seul, entre tous les carnivores, les dents s'effritent. Alors, c'en est fait. Toutes les parois de la réalité dans lesquelles transparaissaient, pour elles, mille filigranes et mille blasons deviennent opaques, et c'est fini.

LE CONTRÔLEUR

C'est fini? Si vous faites allusion au mariage, vous voulez dire que tout commence?

LE SPECTRE

Et le plaisir des nuits, et l'habitude du plaisir commence. Et la gourmandise commence. Et la jalousie.

LE CONTRÔLEUR

Chère Isabelle!

LE SPECTRE

Et la vengeance. Et l'indifférence commence. Sur la gorge des hommes, le seul collier perd son orient. Tout est fini.

ISABELLE

Pourquoi cette cruauté? Sauvez-moi du bonheur, si vous le jugez si méprisable!

LE SPECTRE

Adieu, Isabelle. Ton contrôleur a raison. Ce qu'aiment les hommes, ce que tu aimes, ce n'est pas connaître, ce n'est pas savoir, c'est osciller entre deux vérités ou deux mensonges, entre Gap et Bressuire. Je te laisse sur l'escarpolette où la main de ton fiancé te balancera pour le plaisir de ses yeux entre tes deux idées de la mort, entre l'enfer d'ombres muettes et l'enfer bruissant, entre la poix et le néant. Je ne te dirai plus rien. Et même pas le nom de la fleur charmante et commune qui pique notre gazon, dont le parfum m'a reçu aux portes de la mort et dont je soufflerai le nom dans quinze ans aux oreilles de tes filles. Prends-la dans tes bras, Contrôleur! Prends-la dans ce piège à loups que sont tes bras, et que plus jamais elle n'en échappe.

ISABELLE

Si, une fois encore!

Elle se précipite vers le Spectre qui l'étreint et disparaît. Elle pâlit et défaille.

LE CONTRÔLEUR, appelant à l'aide

Droguiste! Droguiste!

SCÈNE CINQUIÈME

ISABELLE, évanouie. L'INSPECTEUR.
LE CONTRÔLEUR.

LE CONTRÔLEUR

Nous arrivons à temps. Elle respire!

L'INSPECTEUR

La tête est tiède, les mains froides, les jambes glacées. Notre visiteur d'outre-tombe a eu la maladresse de l'entraîner d'abord par les pieds. C'est une chance.

ISABELLE

Où suis-je?

LE CONTRÔLEUR

Dans mes bras... Ah! Inspecteur, elle retombe à nouveau...

L'INSPECTEUR

C'est que votre réponse est insuffisante, jeune homme. Le pays d'où revient Isabelle n'est pas l'évanouissement, mais la désincarnation peut-être, l'oubli suprême. Ce qu'elle réclame, ce sont des vérités universelles, et non des détails d'ordre particulier!

ISABELLE

Où suis-je?

L'INSPECTEUR

Vous voyez! Vous êtes sur la planète Terre, mon enfant, satellite du Soleil. Et si vous vous sentez tourner, comme votre regard l'indique, c'est vous qui avez raison, et nous tort, car elle tourne...

ISABELLE

Qui suis-je?

LE CONTRÔLEUR

Vous êtes Isabelle!

L'INSPECTEUR

Vous êtes un être humain femelle, mademoiselle, une des deux formes du développement de l'embryon humain. Et fort réussie...

ISABELLE

Quel bruit!

LE CONTRÔLEUR

C'est la fanfare qui répète...

L'INSPECTEUR

Ce sont des vibrations d'onde, petite femelle humaine, qui agissent sur des parties différenciées de votre derme ou de votre endoderme, appelées sens... Voilà... Elle rosit. La science est encore le meilleur flacon de sel. Passez les atomes et les ions sous le nez d'une jeune institutrice évanouie, et elle renaît aussitôt.

LE CONTRÔLEUR

Mais pas du tout! La voilà morte à nouveau! Droguiste! Au secours!

SCÈNE SIXIÈME

LES MÊMES. LE DROGUISTE, suivi d'une foule curieuse.

LE DROGUISTE

Me voilà, et rassurez-vous : j'apporte le remède.

MONSIEUR ADRIEN

On a vu des flammes. C'est un incendie?

LE DROGUISTE

Vous arrivez à point, monsieur Adrien. Asseyez-vous, à cette table.

LE PÈRE TELLIER

Nous l'emportons à l'air? Elle est asphyxiée?

LE DROGUISTE

Laissez-la, et asseyez-vous. Voici des cartes. Dès que je vous l'ordonnerai, jouez la manille. La manille perlée.

LES FILLETTES

Elle vit encore, monsieur le Droguiste? Elle vit encore?

L'INSPECTEUR

Veuillez sortir, mesdemoiselles.

LE DROGUISTE

Au contraire. Qu'elles entrent! Nous ne serons jamais trop pour mon expérience. Et qu'elles récitent leurs leçons à mon signal!

L'INSPECTEUR

Vous êtes fou, Droguiste! On dirait que vous placez une chorale!

ARMANDE

Elle est carbonisée, paraît-il?

LE CONTRÔLEUR

Evanouie seulement.

ARMANDE

Vous faut-il des sangsues?

LE DROGUISTE

Pas de sangsues, mesdemoiselles Mangebois. Entrez avec votre sœur, et bavardez à mon commandement.

ARMANDE

Bavarder? Nous bavardons?

LÉONIDE

Offre donc nos sangsues. N'oublie pas que la grise est fiévreuse.

ARMANDE

Il les refuse. C'est nous qu'il veut.

LE DROGUISTE

Parfait! Bon début!

L'INSPECTEUR

Allez-vous nous expliquer cette conduite, Droguiste?

LE DROGUISTE

Est-il vraiment nécessaire que je m'explique, Inspecteur? Mlle Isabelle n'est ni une baigneuse noyée, ni une alpiniste gelée. Elle est tombée par crise ou par mégarde dans une anesthésie dont vous devinez comme moi le principe. Le seul massage, la seule circulation artificielle que nous puissions pratiquer dans ce cas, c'est de rapprocher d'aussi près que possible de sa conscience endormie le bruit de sa vie habituelle. Il ne s'agit pas de la ramener à elle, mais de la ramener à nous. Essayons. Vous y êtes, tous? Vous avez compris?

L'INSPECTEUR

Non, Droguiste.

LE MAIRE

En effet, vous n'êtes pas clair.

MONSIEUR ADRIEN

Tu as compris, toi, Tellier?

LE PÈRE TELLIER

Moi, jamais.

LÉONIDE

Que dit le Droguiste?

ARMANDE

Qu'on va lire le dictionnaire pour y trouver un mot qui réveille Isabelle.

LES FILLETTES

Pas du tout! Elle n'a pas compris!

LE MAIRE

Tu as compris, toi, Luce?

LES FILLETTES

Nous avons toutes compris.

VIOLA

C'est tout simple. Il faut rendre la vie, autour de Mlle Isabelle, plus forte que la mort.

LUCE

Monsieur le Droguiste veut condenser autour d'elle tous les bruits de la petite ville et tous ceux du printemps.

GILBERTE

Comme un faisceau de rayons X.

DAISY

Comme une symphonie.

IRÈNE

Et quand ce sera parfait, quand cette musique...

LUCE

Quand cette chaleur l'auront à nouveau pénétrée.

DAISY

Un simple mot, un simple bruit l'atteindra au cœur.

VIOLA

Et le cœur repartira!

LE DROGUISTE

Bravo, mes enfants! Je pense que vous y êtes tous, maintenant? Monsieur le Maire, allez donc dehors vous charger des sons, s'il vous plaît.

LE MAIRE

Le maréchal-ferrant? les battoirs?

LE DROGUISTE

Ou un piston dans le lointain. Et vous, monsieur l'Inspecteur, prononcez à intervalles espacés quelques-uns de ces termes abstraits si courants dans votre langage.

L'INSPECTEUR

Je n'emploie en mots abstraits que ceux-là seuls qu'exigent la Justice et la Vérité.

LE DROGUISTE

Très bien... Très bien...

LE CONTRÔLEUR

Je vous aime, Isabelle.

L'INSPECTEUR

Et la Démocratie.

LE DROGUISTE

Le « je vous aime » est un peu faible, le

« démocratie » un peu fort. Allons-y. Une seconde de silence d'abord. Un... deux... trois...

Les manilleurs se mettent à jouer vraiment, les femmes à chuchoter. L'Inspecteur monologue. Au lieu des bruits factices, le bruit de la vie même. Une trompe d'auto. Un passant qui siffle. ce n'est qu'un rêve, un joli rêve. La philarmonique qui répète, un serin qui chante. Isabelle peu à peu frémit.

FUGUE DU CHŒUR PROVINCIAL.

LE DROGUISTE. Un, deux, trois!

LES FILLETTES. La Vienne grossie de la Creuse.

ADRIEN. Père Tellier, cœur!

LES FILLETTES. Le Cher grossi de l'Auron.

LE PÈRE TELLIER. Qui en est malade en meurt.

LES FILLETTES. L'Allier grossi de la Sioule.

L'INSPECTEUR. Laborieuses populations... mares stagnantes.

LES FILLETTES. La Vienne grossie de la Creuse.

ARMANDE. Il y a dégraisseur et il y a teinturier.

LE CONTRÔLEUR. Je vous aime.

LES FILLETTES. Le Cher grossi...

MONSIEUR ADRIEN. La dame de pique.

LES FILLETTES. ...de l'Auron.

LE PÈRE TELLIER. Elle est bonne...

LES FILLETTES. L'Allier grossi...

LE PÈRE TELLIER. ...et à poil.

LES FILLETTES. ...de la Sioule.
La Vienne grossie...

L'INSPECTEUR. mares stagnantes...

LES FILLETTES. ...de la Creuse.
Le Cher grossi...

L'INSPECTEUR. mentalité...

LES FILLETTES. ...de l'Auron.

LÉONIDE. La margarine n'a jamais été du beurre...

MONSIEUR ADRIEN. Deux byrrh citron!

ARMANDE. C'est une femme qu'il a trouvée dans le ruisseau.

LE CONTRÔLEUR. Je vous adore

LES FILLETTES. La Vienne.

Cependant le Droguiste dirige de sa baguette le chœur qui s'enfle ou s'assourdit à son gré.

LE DROGUISTE

Et voici qu'approche le dénouement de ce nouvel épisode de Faust et de Marguerite. Le chœur des Séraphins évidemment nous manque, mais la rumeur des manilleurs, des Mangebois et des enfants, c'est là aujourd'hui le chœur qui, dans sa curiosité, son indifférence, supplie pour elle, et je ne le crois pas moins puissant.

Pendant que le Droguiste récite.

LE CHŒUR

(pianissimo)

LES FILLETTES. Le Cher grossi de l'Auron.

ARMANDE. On devient cuisinier mais on naît rôtisseur

LES FILLETTES. L'Allier grossi de la Sioule.

L'INSPECTEUR. mentalité... lotissements salubres.

Le Droguiste fait signe d'amplifier.

LE CHŒUR

LES FILLETTES. Le Cher grossi de l'Auron.

(forte)

MONSIEUR ADRIEN. Père Tellier, cœur!

LES FILLETTES. L'Allier grossi de la Sioule.

LE PÈRE TELLIER. Qui en est malade en meurt.

L'INSPECTEUR. Superstition... freudisme...

ARMANDE. C'est comme ma cape.

LES FILLETTES. La Vienne grossie de la Creuse.

ARMANDE. Je vais la doubler en velours!

LÉONIDE

Ah! non, par exemple!

ISABELLE, frémissant.

Ah! non, par exemple!

TOUS

Comment? Qu'y a-t-il? Elle a parlé?

LE DROGUISTE

Je n'attendais pas moins du mot velours. C'est cela, mademoiselle Armande, parlez comme à votre sœur. Une couche de silence nous sépare aussi d'Isabelle.

LE CHŒUR

LES FILLETTES. Le Cher grossi de l'Auron.
MONSIEUR ADRIEN. La dame de pique.
L'INSPECTEUR. laborieuses populations.
LES FILLETTES. L'Allier grossi de la Sioule.
ARMANDE. Je pensais du velours de soie.

ISABELLE, se réveillant peu à peu

Pour doubler la vie, du velours de soie.. pour doubler la mort... Mais qu'est-ce que je dis?

L'INSPECTEUR

Pauvre fille!

LÉONIDE

Et pourquoi ne prendrais-je pas du crêpe de Chine?

ISABELLE

Et pourquoi ne prendriez-vous pas du crêpe de Chine? Le magasin est encore ouvert, la philharmonique répète... Ah! vous êtes là, cher monsieur Robert... Votre main!

L'INSPECTEUR

Elle est perdue!

LE DROGUISTE

Elle est sauvée!

LÉONIDE

Que disent ces messieurs?

ARMANDE

Que Mlle Isabelle est perdue et sauvée.

LÉONIDE

Elle a bien fait tout ce qu'il fallait pour cela!

LE MAIRE, apparaissant avec Viola.

Monsieur l'Inspecteur! Monsieur l'Inspecteur! La loterie!

L'INSPECTEUR

Qu'est-ce qu'elle a, votre loterie?

LE MAIRE

Elle est tirée.

L'INSPECTEUR

Pourquoi cette émotion? Le scandale continue?

LE MAIRE

Au contraire, tout est redevenu normal, au moment où nous commencions à désespérer. Parle, Viola, je suis hors d'haleine.

L'INSPECTEUR

Normal? Qui a gagné la motocyclette?

VIOLA

Le cul-de-jatte de l'orphelinat.

L'INSPECTEUR

Et le gros lot en espèces?

VIOLA

M. Dumas le millionnaire.

L'INSPECTEUR

Victoire, messieurs, victoire! Nos peines n'ont pas été inutiles. Notre joie est grande, chers concitoyens, à constater que, dans une ville où les notions humaines étaient en désaccord, il a suffi de notre présence pour réduire les imaginations les plus diverses par ce commun diviseur qu'est la démocratie éclairée. Permettez-moi de prendre congé de vous L'épisode Isabelle est clos. L'épisode Luce ne surviendra que dans trois ou quatre ans. Je peux filer sur Saint-Yrieix où l'on me signale un veilleur de nuit somnanbule, le pire somnambulisme, puisque, en raison des fonctions du malade, il s'exerce en plein jour, et parmi des gens éveillés. Adieu, monsieur le Maire. Je vous rends un district en ordre. L'argent y va de nouveau aux riches, le bonheur aux heureux, la femme au séducteur. Notre mission chez vous, mes chers concitoyens, est terminée.

LE MAIRE

Et guérie l'âme d'Isabelle!

ARMANDE

Et couronné comme il se doit le lyrisme des fonctionnaires!

LE DROGUISTE

Et fini l'intermède!

RIDEAU

TABLE

IMPRIMÉ EN FRANCE PAR BRODARD ET TAUPIN
7, bd Romain-Rolland - Montrouge - Usine de La Flèche.
LIBRAIRIE GÉNÉRALE FRANÇAISE - 14, rue de l'Ancienne-Comédie - Paris.

ISBN : 2 - 253 - 00629 - 7 30/1209/3